Cuisine végétarienne

PLUS DE 100 DÉLICIEUSES RECETTES

Cuisine végétarienne

PLUS DE 100 DÉLICIEUSES RECETTES

Tormont

© 2000 Quantum Books
Paru sous le titre original de : VEGETARIAN

LES ÉDITIONS GOÉLETTE INC.
600, boul. Roland-Therrien
Longueuil, Québec, Canada J4H 3V9
Téléphone : (450) 646-0060
Télécopieur : (450) 646-2070

Directrice de la publication : Jane Roberts
Conception graphique : Bruce Low
Design de la couverture : Marc Alain
Infographie : Modus Vivendi
Traduction : Johanne Forget

Dépôt légal, 1er trimestre 2003
Bibliothèque nationale du Québec
Bibliothèque nationale du Canada

ISBN : 2-9804941-4-3

Table des matières

INTRODUCTION

De nos jours, le végétarisme est un mode de vie pour de nombreuses personnes dans le monde entier. Maintenant que des mets végétariens figurent sur les menus des restaurants, des bars, des bureaux et d'événements spéciaux, les végétariens n'ont plus l'impression de faire partie d'une catégorie à part. La gamme de mets végétariens est si vaste, variée et attrayante, que les consommateurs de viande sont souvent tentés eux aussi de délaisser les plats traditionnels au profit de l'option végétarienne.

Les raisons d'adopter le végétarisme sont diverses. Elles peuvent découler d'une répugnance pour le goût de la viande, d'une aversion relative à l'abattage des animaux, du désir de trouver un mode de vie plus sain, ou simplement de l'amour des fruits, des légumes, des céréales, des légumineuses et des produits laitiers.

Quelle que soit la raison pour laquelle on devient végétarien, il est important de reconnaître que le simple fait de bannir la viande des mets traditionnels ne suffit pas pour transformer votre régime alimentaire en régime sain. Les enfants, particulièrement, ont besoin d'un bon équilibre de protéines, d'hydrates de carbone, de matières grasses, de fibres, de vitamines et de minéraux essentiels durant leur croissance, et les adultes doivent également inclure tous ces éléments dans leur alimentation pour être en bonne santé.

On peut maintenant se procurer des fruits et des légumes frais toute l'année. Les produits de culture organique se taillent une place de choix auprès des consommateurs, qui se préoccupent de plus en plus des effets de l'utilisation d'engrais et de cultures génétiquement modifiées sur l'environnement. Les produits biologiques sont en effet très savoureux et constituent un bon achat quand les supermarchés ou les magasins du quartier les offrent à des prix abor-

dables. Mieux encore, renseignez-vous sur l'existence dans votre région d'une ferme d'exploitation biologique qui vend ses produits directement aux consommateurs.

Les épices et les fines herbes sont un élément essentiel de plusieurs recettes végétariennes, car elles ajoutent de la saveur et de la couleur aux plats. La plupart des recettes que nous vous proposons recommandent l'utilisation d'herbes fraîches. Si les circonstances le permettent, il est bon de cultiver ses propres herbes. Si vous avez la chance de disposer d'une arrière-cour, transformez-en une partie en jardin d'herbes aromatiques. Ou alors, achetez quelques pots et cultivez des herbes dans votre cuisine. Si vous devez utiliser des herbes séchées, réduisez les quantités. En général, une cuillerée à soupe d'herbes fraîches correspond à une cuillerée à thé d'herbes séchées.

Les légumineuses et les céréales sont un élément populaire du régime végétarien, et elles sont extrêmement savoureuses. Parfois elles demandent d'être préparées à l'avance, il importe donc de vérifier si les haricots, les pois, etc. doivent tremper toute la nuit. Il est essentiel de suivre les instructions rigoureusement, parce que le trempage des haricots et des pois a pour objet d'éliminer des toxines nuisibles. Vérifiez toujours les instructions sur l'emballage.

Les produits laitiers sont également une bonne source de protéines, et on trouve de nos jours de délicieux fromages en abondance. Essayez-en diverses variétés pour voir comment ils peuvent transformer le goût de vos recettes favorites. Évitez toutefois de consommer des produits laitiers à outrance. Il ne faut pas croire qu'ils sont les seuls aliments qui contiennent les protéines dont vous vous privez par l'élimination de la viande de votre régime alimentaire. Un régime riche en produits laitiers pourrait augmenter votre taux de cholestérol de façon malsaine.

N'oubliez pas que d'autres aliments, comme le soja, le tofu et les noix, contiennent également des protéines.

On trouve maintenant dans le commerce de nombreux produits « imitant la viande », dont l'apparence et le goût sont très semblables à l'original. Que le goût de la viande vous manque ou non, ces produits (comme les sautés de tofu) peuvent servir de complément agréable et nourrissant au menu végétarien.

La cuisine végétarienne n'exige pas d'équipement spécial, mais vous constaterez que le wok et le mélangeur sont de précieux investissements. Les légumes sautés au wok conservent leur saveur et demeurent croquants, tandis que le mélangeur est un instrument essentiel

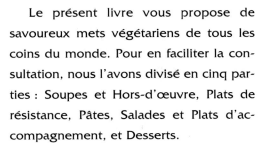

Le présent livre vous propose de savoureux mets végétariens de tous les coins du monde. Pour en faciliter la consultation, nous l'avons divisé en cinq parties : Soupes et Hors-d'œuvre, Plats de résistance, Pâtes, Salades et Plats d'accompagnement, et Desserts.

pour la préparation des soupes aux légumes.

Équivalences des températures de four		
°C	°F	Four à gaz
240	475	9
230	450	8
220	425	7
200	400	6
190	375	5
180	350	4
165	325	3
150	300	2
140	275	1
125	250	$^1/_2$
110	225	$^1/_4$

CHAPITRE 1

SOUPES ET HORS-D'ŒUVRE

UNE SÉLECTION DE SOUPES ET
DE HORS-D'ŒUVRE SUCCULENTS.
PLUSIEURS DES HORS-D'ŒUVRE
PEUVENT ÊTRE ADAPTÉS POUR
ÊTRE SERVIS COMME PLATS DE
RÉSISTANCE OU ACCOMPAGNEMENTS.

BORTSCH

6 portions

INGRÉDIENTS

2 gros oignons

3 grosses betteraves

3 grosses carottes

2 panais

4 branches de céleri

3 c. à soupe de pâte de tomate

4 grosses tomates

½ petit chou blanc en lanières

1 c. à soupe de miel

1 c. à soupe de jus de citron

sel et poivre noir fraîchement moulu

quelques brins de persil hachés

farine blanche tout usage

crème sure ou yaourt nature maigre

Typiquement russe, le bortsch est une soupe nourrissante et rafraîchissante, que l'on peut servir chaude ou froide selon l'occasion. La betterave, un légume naturellement sucré, donne à la soupe sa saveur incomparable.

Tailler les oignons, les betteraves, les carottes, les panais et le céleri en bâtonnets. Amener une grande casserole d'eau salée à ébullition, ajouter la pâte de tomate et les légumes en bâtonnets, et laisser mijoter pendant 30 minutes, ou jusqu'à ce que les légumes soient tendres.

Peler, épépiner et hacher les tomates. Les ajouter dans la casserole avec le chou, le miel, le jus de citron et les assaisonnements. Laisser mijoter 5 minutes, puis ajouter le persil haché. Vérifier l'assaisonnement.

Si nécessaire, épaissir la soupe avec un mélange composé d'un peu de farine et de crème sure. La soupe est meilleure quand on la prépare la veille du jour où elle doit être servie. Réchauffer et servir avec un bol de crème sure ou de yaourt maigre.

CHAMPIGNONS CRÉMEUX À L'AIL

4 portions

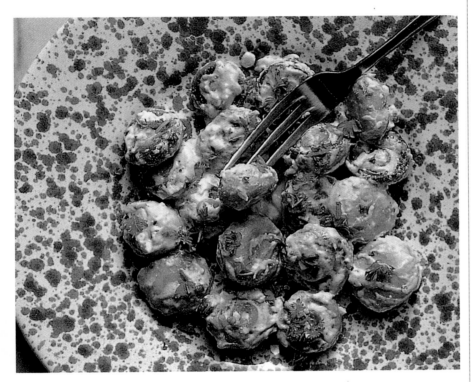

INGRÉDIENTS

2 c. à soupe d'huile d'olive

1 grosse gousse d'ail écrasée

2 échalotes hachées

sel et poivre noir fraîchement moulu

300 g (12 oz) de champignons de couche

150 g (6 oz) de fromage à pâte molle maigre

un peu de persil haché (facultatif)

Une garniture idéale pour les pommes de terre au four !

Faire chauffer l'huile dans une grande poêle à frire. Ajouter l'ail, les échalotes et l'assaisonnement, et cuire pendant 2 minutes. Puis ajouter les champignons et remuer pendant 2 ou 3 minutes, jusqu'à ce qu'ils soient très chauds. Ne pas les faire suer, parce qu'ils deviendraient trop liquides. Parsemez de persil si désiré.

SALADE D'AVOCAT ET DE GRENADE

4 portions

INGRÉDIENTS

1 grenade mûre, coupée en deux
250 ml (1 t) de raisins noirs, coupés
    en deux et épépinés
2 petits avocats mûrs
1 c. à soupe de jus de citron

Vinaigrette

4 c. à soupe de vinaigre de vin blanc
2 c. à soupe de jus d'orange
sel et poivre noir fraîchement moulu
1 c. à thé de miel
1 c. à thé d'huile d'olive
1 c. à soupe d'huile d'arachide ou
    de tournesol
2 c. à soupe de menthe fraîche hachée

Garniture

feuilles de menthe fraîche

Dans un petit bol, fouetter le vinaigre de vin blanc, le jus d'orange, le sel et le poivre au goût, et le miel. Incorporer doucement l'huile d'olive et l'huile d'arachide ou de tournesol en fouettant continuellement jusqu'à l'obtention d'un mélange épais et crémeux. Ajouter la menthe hachée. Réserver.

Dans un bol moyen, gratter les moitiés de grenade pour en extraire les pépins. Ajouter les moitiés de raisins et mélanger.

Couper les avocats en deux et enlever les noyaux. À l'aide d'un couteau à lame recourbée, séparer la peau de la chair.

Placer les avocats sur le plan de travail, côté arrondi vers le haut, et, avec un couteau bien aiguisé, à partir de 1 cm de l'extrémité, couper l'avocat sur la longueur en tranches d'un peu plus de 5 mm (¼ po). Laisser l'extrémité intacte. Disposer les moitiés d'avocat sur 4 assiettes individuelles. Avec la paume de la main, pousser délicatement les tranches d'avocat vers l'avant pour les disposer en éventail. Arroser légèrement de jus de citron.

Verser un quart du mélange de grenade et de raisins sur chaque moitié d'avocat et napper de vinaigrette. Garnir chaque assiette de quelques feuilles de menthe.

SOUPE À L'OIGNON, AUX LENTILLES ET AU CITRON

4 portions

INGRÉDIENTS

200 ml (1 t) d'eau

95 ml (6 c. à soupe) d'orge perlé

1 c. à soupe de pâte de tomate

1,5 l (6¼ t) de bouillon de légumes

175 g (¾ t / 6 oz) de lentilles,
    rincées et triées

5 oignons émincés

1 c. à thé de graines d'anis séchées

jus de 1 gros citron

1 grosse pincée de paprika doux

1 pincée de poivre de Cayenne

sel et poivre noir fraîchement moulu

Garniture

12 tranches de citron très minces

L'orge et les lentilles, deux ingrédients favoris des Arméniens, sont réunis dans cette soupe nourrissante. Servie avec du pain de maïs chaud, elle fait un repas substantiel le midi ou le soir.

Amener l'eau à ébullition dans une grande casserole émaillée ou en acier inoxydable. Ajouter l'orge, couvrir, et laisser mijoter à feu doux pendant 20 à 25 minutes, ou jusqu'à ce que l'orge soit juste tendre et que l'eau ait été absorbée.

Incorporer la pâte de tomate, le bouillon de légumes, les lentilles, les oignons et l'anis. Amener à ébullition, couvrir et laisser mijoter à feu doux pendant 1 heure, ou jusqu'à ce que les lentilles soient tendres.

Ajouter le jus de citron, le paprika, le poivre de Cayenne, le sel et le poivre au goût, et laisser mijoter à découvert pendant encore 20 minutes. Verser la soupe dans des bols chauds, et garnir chacun de deux minces tranches de citron.

SOUPE AUX TOMATES ET À LA CORIANDRE

6 portions

Voici une soupe froide d'été rafraîchissante qui précède admirablement un plat de poisson ou de volaille. La saveur citronnée de la coriandre complète à merveille les jus de fruit qui entrent dans la préparation de cette soupe rafraîchissante.

Dans un mélangeur ou un robot culinaire muni d'une lame de métal, réduire en purée les tomates, l'oignon, le jus de tomate, le jus d'orange, le poivron rouge et le sucre.

Passer la purée dans une passoire, et racler le fond à l'aide d'une cuillère de bois pour faire passer le plus de purée possible. Jeter le résidu, et ajouter suffisamment d'eau glacée pour éclaircir la purée jusqu'à l'obtention d'une consistance de soupe. Ajouter la coriandre, couvrir et refroidir. Poser le yaourt sur la table, pour que les invités s'en servent à leur convenance.

INGRÉDIENTS

1,3 kg (3 lb) de grosses tomates mûres, coupées grossièrement

1 petit oignon haché

600 ml (2½ t) de jus de tomate

3 c. à soupe de jus d'orange frais pressé

1 poivron rouge mariné épépiné

¼ c. à thé de sucre

eau glacée

4 c. à soupe de coriandre fraîche hachée

yaourt grec, pour le service

INGRÉDIENTS

4 grosses tomates mûres, tranchées

1 botte de basilic

4 à 6 tranches d'oignon rouge minces

sel au goût

poivre noir fraîchement moulu

fromage maigre de type mozzarella

SALADE DE TOMATES ET DE BASILIC

4 portions

Tirez parti des tomates mûres et des restes de basilic des jardins d'été pour préparer cette salade fraîche et élégante, mais toute simple. Nappez-la de votre vinaigrette préférée.

Trancher les tomates, les saler légèrement, et les laisser égoutter sur des essuie-tout pendant environ 20 minutes.

Laver le basilic et l'assécher avec des essuie-tout ou une essoreuse. Séparer les feuilles des tiges, et les disposer en une mince couche sur une assiette. Les couvrir d'environ la moitié des tranches de tomate. Séparer les rondelles d'oignon, et en disposer la moitié sur les tomates. Ajouter une autre couche de basilic, de tomates et d'oignon. Parsemer légèrement de poivre noir fraîchement moulu, et garnir de quelques autres feuilles de basilic.

Pour varier, couvrir les tomates de minces tranches de fromage maigre de type mozzarella.

Concombres farcis aux pignons

4 portions

Ingrédients

1 morceau de concombre de 20 cm (8 po)
coupé en deux dans le sens de la longueur
100 g (½ t / 4 oz) de pignons rôtis
220 g (½ t / 8 oz) de fromage cottage
4 tomates moyennes, pelées, épépinées
et hachées
2 c. à thé d'aneth frais haché
1 c. à thé de menthe fraîche

Garniture

feuilles de laitue
brins d'aneth

Ne pas mélanger la farce plus de quelques minutes avant de servir, autrement les pignons se détremperont et perdront leur fermeté.

Une entrée parfaite pour une chaude journée d'été ou un repas en plein air. Pour transformer la texture et la saveur, et ajouter une touche de fibres, mélangez 2 c. à soupe de raisins secs sans pépins à la farce.

Évider les morceaux de concombre, et les couper en tronçons de 5 cm/2 po.

Quelques minutes avant de servir, mélanger les pignons, le fromage, les tomates, l'aneth et la menthe. Garnir les tronçons de concombre du mélange.

Disposer les tronçons de concombre sur un lit de feuilles de laitue, garnir de brins d'aneth et servir immédiatement.

BEIGNETS D'OIGNONS (BHAJIS)

10 à 12 beignets

Faire chauffer l'huile et faire frire les épices pendant une minute. Ajouter l'oignon, et mélanger jusqu'à ce qu'il soit bien enrobé d'épices.

Diminuer le feu, couvrir et laisser cuire l'oignon jusqu'à ce qu'il soit tendre, mais non en bouillie. Laisser refroidir.

Ajouter le sel, l'œuf et la farine besan (pois chiches), et bien mélanger.

Faire frire de bonnes demi-cuillerées à soupe du mélange dans 1 cm (½ po) d'huile très chaude, et les retourner immédiatement. Dès que les beignets sont gonflés et dorés, les retirer à l'aide d'une cuillère à égoutter, et les éponger sur des essuie-tout. Servir chaud.

Les begnets peuvent être gardés chauds à four modéré pendant 20 minutes environ avant le service, mais ils ne peuvent être préparés à l'avance et réchauffés.

VARIANTE

Préparer des beignets plus petits, et servir avec des cure-dents.

INGRÉDIENTS

2 c. à soupe d'huile

½ c. à thé de graines de moutarde

1 c. à thé de graines de fenugrec

1 c. à thé de curcuma moulu

1 pincée de poudre de chili (facultatif)

1 oignon moyen, émincé

½ c. à thé de sel

1 œuf

100 g (4 oz) de farine besan (pois chiches)

huile à friture

SOUPE DE PANAIS AU CARI

3 à 4 portions

INGRÉDIENTS

450 g (1 lb) de panais

50 g (2 oz) de beurre

1 ½ c. à thé de coriandre moulue

1 c. à thé de cumin moulu

½ c. à thé de curcuma moulu

environ 600 ml (2½ t) d'un mélange
   de lait et de bouillon ou d'eau

quelques gouttes de Tabasco

sel et poivre blanc au goût

2 c. à soupe de crème légère

coriandre ou persil frais haché

Éplucher les panais et les couper en dés de 2 cm (¾ po). Les couvrir d'eau froide.

Faire fondre le beurre dans une casserole épaisse, et y faire frire les épices, sans les brunir, pour en dégager les saveurs.

Ajouter les panais égouttés et les faire revenir jusqu'à ce qu'ils soient bien enrobés. Ajouter le lait et le bouillon ou l'eau, couvrir et laisser mijoter 20 minutes environ, jusqu'à ce que les panais soient tendres.

Égoutter ou passer la soupe au mixeur ou au robot culinaire; celle-ci ne doit pas être parfaitement onctueuse.

Faire chauffer de nouveau, et assaisonner de Tabasco, de sel et de poivre blanc au goût.

Servir avec un nuage de crème dans chaque bol, et parsemer de coriandre ou de persil frais.

Les croûtons au cari accompagnent également très bien cette soupe.

INGRÉDIENTS

3 tamarillos

laitue coupée en lanières

250 g (1 t) de fromage à pâte molle aux
   fines herbes et à l'ail

6 c. à soupe de yaourt grec ou de crème sure

1 c. à thé de sucre extrafin

3 échalotes hachées

2 gros avocats mûrs

COCKTAIL DE TAMARILLOS ET D'AVOCATS

4 portions

Voici un excellent hors-d'œuvre dont le mélange de saveurs est exquis. Le tamarillo, qu'on appelle également « tomate d'arbre » est un fruit en forme d'œuf qui est originaire de l'Amérique du Sud. Sa pelure ferme et amère doit être enlevée; la chair a une couleur rose doré avec des teintes de mauve autour des pépins.

Peler les tamarillos, les couper en deux dans le sens de la longueur, puis en tranches dans le sens contraire. Disposer un peu de laitue en lanières sur 4 assiettes individuelles.

Mélanger le fromage et le yaourt ou la crème sure dans un bol. Saupoudrer les tamarillos de sucre, incorporer les échalotes hachées, et laisser reposer 15 minutes.

Couper les avocats en quatre, les peler et les trancher.

Disposer les tranches d'avocats sur la laitue, couvrir du mélange aux tamarillos, et ajouter une cuillerée de la vinaigrette au fromage et au yaourt sur le dessus.

POIVRONS AU FROMAGE

4 portions

Voici une idée simple, mais attrayante. Une tranche de chacun des poivrons rouge et vert sur des toasts donne un hors-d'œuvre coloré.

Faire chauffer une poêle à frire à revêtement anti-adhésif jusqu'à ce qu'elle soit uniformément chaude, puis ajouter les noix, et les faire brunir de tous les côtés. Saupoudrer du sel et du poivre de Cayenne sur des essuie-tout, ajouter les noix chaudes, et les mélanger aux assaisonnements. Laisser refroidir les noix, et les couper grossièrement.

Fouetter le fromage à la crème jusqu'à l'obtention d'une consistance lisse, puis ajouter l'ail et les noix. Ajouter du sel si nécessaire, puis du poivre noir. Couper la partie supérieure des poivrons, et enlever les pépins et le cœur. Remplir les poivrons de la garniture, et presser fermement le mélange avec le dos d'une cuillère.

Refroidir les poivrons de 2 à 3 heures avant de les trancher. Servir une tranche de poivron de chaque couleur à chaque personne, avec des toasts de blé entier.

INGRÉDIENTS

300 g (1½ t / 12 oz) de noix mélangées décortiquées (arachides, noix de cajou, amandes, etc.)

sel

poivre de Cayenne

200 g (2 t / 8 oz) de fromage à la crème maigre

1 gousse d'ail émincée

poivre noir fraîchement moulu

1 poivron rouge moyen

1 poivron vert moyen

toasts de blé entier (pour le service)

GUACAMOLE

4 portions

Couper les avocats en deux et en retirer la chair. Mettre celle-ci dans un mortier, un mélangeur ou un robot de cuisine avec le reste des ingrédients, et réduire en une pâte lisse. Ajouter un peu d'eau si le mélange semble trop épais. Refroidir.

Servir comme trempette avec des croustilles de maïs, du pain pita chaud ou des légumes crus croquants, coupés en bouchées.

NOTE

Le guacamole se décolore s'il n'est pas consommé rapidement après la préparation. On peut toutefois le conserver au réfrigérateur jusqu'à 2 heures quand on l'arrose de jus de citron et qu'on le recouvre d'une pellicule de plastique appliquée directement sur le mélange.

INGRÉDIENTS

2 avocats mûrs

1 petit oignon grossièrement haché

1 tomate pelée, épépinée et émincée

1 gousse d'ail écrasée

½ à 1 ½ piment vert frais, épépiné et haché

1 c. à soupe de jus de lime ou de citron

1 pincée de sel

Tomates au four

4 grosses portions (ou 8 petites)

Les tomates au four sont souvent considérées plus comme une garniture que comme un véritable plat de légume. Voici quelques idées pour transformer les tomates au four en un plat mémorable : utilisez des tomates fermes, mais pas trop mûres. Planifiez la cuisson de manière à pouvoir manger les tomates dès qu'elles sortent du four. Faites votre propre chapelure en faisant griller du bon pain que vous râperez grossièrement, plutôt que d'utiliser une chapelure commerciale fade.

Préchauffer le four à 220 °C. Graisser légèrement un plat à cuisson peu profond. Évider les tomates et les couper en deux. Saler légèrement les parois intérieures, et mettre les tomates côté coupé vers le bas sur des essuie-tout pour les assécher pendant que vous préparez la farce.

Faire chauffer l'huile dans une petite casserole. Ajouter l'ail, et le faire sauter 1 à 2 minutes en remuant, et en prenant garde de ne pas le faire roussir. Si l'huile est très chaude, il peut être préférable de retirer la casserole du feu. Ajouter la chapelure, remettre la casserole sur le feu, et cuire pendant 2 minutes, en remuant constamment. Ajouter les fines herbes et l'oignon, cuire encore 30 secondes, et retirer du feu. Incorporer le parmesan.

Mettre les tomates, côté coupé vers le haut, sur le plat à cuisson. Répartir la farce entre les tomates. Cuire de 15 à 20 minutes, jusqu'à ce que les tomates perdent leur fermeté, mais avant qu'elles ne soient réduites en bouillie. Servir.

Ingrédients

4 grosses tomates fermes, mais mûres
sel
2 c. à soupe d'huile d'olive
3 gousses d'ail émincées
100 g (½ t / 4 oz) de chapelure
2 c. à soupe de basilic frais haché
   ou 2 c. à thé de basilic séché
1 oignon émincé
50 g (2 oz) de fromage Parmesan râpé

INGRÉDIENTS

2 gros melons Ogen pelés, épépinés et hachés

4 c. à soupe de jus de lime

50 g (¼ t / 2 oz) de sucre extrafin

2 gros melons brodés pelés, épépinés et hachés

4 c. à soupe de jus de citron

6 c. à soupe de yaourt grec nature

Garniture

Cannelle moulue et feuilles de menthe

SOUPE AU MELON

4 portions

Cette soupe originale à deux couleurs — une moitié de chaque portion est jaune orange, et l'autre est vert pâle — est une excellente façon d'utiliser les fruits trop mûrs.

Dans le bol d'un mélangeur ou d'un robot culinaire muni d'une lame de métal, réduire en purée le melon Ogen, le jus de lime et 2 cuillerées à soupe de sucre. Verser le mélange dans un pot, couvrir et réfrigérer.

Rincer le bol du mélangeur ou du robot culinaire, et y mettre le melon brodé, le jus de citron et le reste du sucre.

Réduire en purée. Verser dans un pot, couvrir et réfrigérer.

Au moment de servir, placer chaque bol de soupe devant soi, prendre les deux pots, et verser en même temps les deux soupes dans le bol, une de chaque côté. Répéter l'opération avec les autres bols.

Chaque soupe sera de deux couleurs; utiliser une cuillère afin de brouiller légèrement les côtés pour adoucir l'effet. Garnir chaque portion d'une cuillerée de yaourt. Saupoudrer le yaourt d'un peu de cannelle, et garnir de feuilles de menthe. Servir immédiatement.

INGRÉDIENTS

420 ml (1¾ t / 14 oz) de bouillon de légumes

200 g (1 t / 7 oz) de pâtes sèches
   (de n'importe quelle forme)

une goutte d'huile d'olive

2 carottes tranchées mince

220 g (8 oz) de pois verts surgelés

6 c. à soupe de coriandre fraîche hachée

sel et poivre noir fraîchement moulu

fromage râpé (facultatif)

SOUPE AUX LÉGUMES ET À LA CORIANDRE

4 à 6 portions

Une soupe au goût frais, idéale comme entrée, goûter léger ou repas de fin de soirée.

Amener le bouillon de légumes à ébullition dans une grande casserole, et ajouter les pâtes avec une goutte d'huile d'olive. Cuire environ 5 minutes en remuant occasionnellement, puis ajouter les carottes tranchées. Continuer la cuisson pendant 5 minutes, puis ajouter les pois et la coriandre hachée. Assaisonner de sel et de poivre, laisser mijoter environ 10 minutes, en remuant de temps en temps, jusqu'à ce que les pâtes et les carottes soient tendres. Servir la soupe saupoudrée de fromage râpé.

LÉGUMES MÉLANGÉS À LA GRECQUE

4 portions

L'avantage de ce type de plat — un mélange de légumes mijotés dans une sauce épicée — c'est que vous pouvez utiliser n'importe quels légumes de la saison et mélanger de petites quantités de légumes coûteux avec de plus grandes quantités de légumes bon marché.

Mettre tous les ingrédients de la sauce dans une casserole, amener à ébullition, couvrir et laisser mijoter pendant 20 minutes, jusqu'à ce que le liquide ait réduit et légèrement épaissi.

Ajouter le céleri, les carottes, les pois mange-tout et les oignons, et amener à ébullition. Couvrir et laisser mijoter 10 minutes, ou jusqu'à ce que les légumes soient tendres. Retirer la feuille de laurier, et ajouter la moitié de la coriandre ou la menthe.

Servir chaud pour accompagner un plat principal, ou chaud ou froid en entrée. Saupoudrer du reste de coriandre ou menthe avant de servir.

INGRÉDIENTS

2 petits cœurs de céleri, branches extérieures enlevées, en tranches de 2 cm (1 po)

300 g (12 oz) de carottes épluchées et coupées en julienne

220 g (1 t / 8 oz) de pois mange-tout parés

100 g (4 oz) de petits oignons, ou d'échalotes pelés et entiers

2 c. à table de coriandre, ou de menthe fraîche hachée

Sauce

4 c. à soupe de pâte de tomate

200 ml (1 t / 7 oz) de cidre sec

200 ml (1 t / 7 oz) d'eau

2 gousses d'ail émincées

1 c. à soupe d'huile de tournesol

1 c. à thé de graines de moutarde, grossièrement écrasées

sel et poivre noir fraîchement moulu

1 feuille de laurier

INGRÉDIENTS

1 grosse aubergine

4 poireaux en quartiers

2 tomates italiennes en quartiers

1 c. à soupe d'huile d'olive

sel et poivre noir fraîchement moulu

Vinaigrette

3 c. à soupe d'huile d'olive

jus de ½ citron

1 c. à soupe d'origan frais haché

SALSA MÉDITERRANÉENNE

4 portions

Servez cette salsa chaude pour accompagner un plat principal, ou versez-la sur des nouilles fraîchement cuites.

Préchauffer le gril à haute température. Trancher l'aubergine en rondelles de 1 cm (½ po), et la mettre sur une lèchefrite couverte de papier d'aluminium avec les poireaux et les tomates. Badigeonner d'huile d'olive et saler légèrement.

Mettre les légumes sous le grilloir pendant 8 à 10 minutes, jusqu'à ce qu'ils soient tendres et légèrement carbonisés. Les tourner une fois. Couper les tranches d'aubergine en cubes, et mettre les cubes dans un grand bol avec les poireaux et les tomates.

Fouetter rapidement ensemble les ingrédients de la vinaigrette, et verser le mélange sur les légumes chauds. Bien mélanger et assaisonner au goût.

TREMPETTE AUX CHAMPIGNONS ET AUX PIGNONS

donne environ 250 ml (1 t)

Utiliser de gros champignons ouverts, parce qu'ils ont plus de goût que les jeunes champignons de couche.

Chauffer l'huile dans une casserole et faire sauter les champignons finement hachés. Cuire environ 10 minutes à feu modéré, de manière à ce que l'eau des champignons s'évapore et qu'il ne reste dans la casserole que l'huile d'olive et le concentré de champignons cuits. Remuer occasionnellement. Laisser refroidir le mélange dans la casserole.

Entre-temps, disposer les pignons en une seule couche sur une plaque à pâtisserie et les mettre sous le grilloir préchauffé. Faire griller 1 à 2 minutes, jusqu'à ce que les pignons soient légèrement dorés. Les tourner de temps en temps. Retirer du four et laisser refroidir.

Mettre les champignons avec l'huile d'olive de la casserole, les tomates, et les pignons, à l'exception d'une cuillerée à soupe, dans un mélangeur ou un robot culinaire. Mélanger quelques secondes, jusqu'à consistance lisse. Verser le mélange dans un bol, couvrir et réfrigérer.

À l'aide d'une cuillère, verser le mélange dans un plat de service, et garnir du reste des pignons et de persil haché. Servir avec une variété de craquelins et de pain croûté.

INGRÉDIENTS

4 c. à soupe d'huile d'olive
220 g (8 oz) de gros champignons ouverts, finement hachés
100 g (½ t / 4 oz) de pignons
200 g (7 oz) de tomates en conserve, égouttées et hachées
poivre noir fraîchement moulu
1 c. à soupe de persil frais haché pour la garniture
craquelins et pain croûté pour le service

Garniture

1 c. à soupe de persil frais haché

TARTINADE DE POIS CHICHES

donne environ 450 ml (1 ¾ t)

Une version légère et épicée de l'hoummos, le très populaire condiment libanais. Sur du pain pita chaud, la saveur citronnée en est délicieusement rehaussée.

Dans le bol d'un mélangeur ou d'un robot culinaire muni d'une lame de métal, mélanger les pois chiches, l'ail et l'huile d'olive, jusqu'à l'obtention d'une consistance lisse, en arrêtant à l'occasion pour décoller la purée des parois du bol.

Ajouter l'huile de tournesol, le jus de citron, l'assaisonnement, les épices et le persil. Mélanger de nouveau jusqu'à l'obtention d'une purée uniforme; ajouter un peu d'eau pour obtenir une consistance moins épaisse. Verser dans un bol et tracer dans la purée des ondulations décoratives.

Si désiré, avant de servir, faire un petit puits au centre et y déposer la viande frite à la cannelle. Servir avec du pain arabe ou du pain pita.

INGRÉDIENTS

375 g (14 oz) de pois chiches à la saumure, rincés et égouttés

2 gousses d'ail écrasées

2 c. à soupe d'huile d'olive

1 c. à soupe d'huile de tournesol

3 c. à soupe de jus de citron frais

sel et poivre noir fraîchement moulu

½ c. à thé de poivre de Cayenne

¼ c. à thé de piment en poudre

2 c. à soupe de persil frais haché

220 g (8 oz) d'agneau ou de bœuf haché, frit avec un peu de sel, de poivre et de cannelle (facultatif)

pain arabe ou pain pita, pour le service

INGRÉDIENTS

1 petit ananas mûr

220 g (1 t / 8 oz) de fromage à la crème

1 c. à soupe de yaourt nature

1 c. à soupe de ciboulette fraîche hachée

1 pincée de paprika

poivre noir fraîchement moulu

ciboulette fraîche hachée

Garniture

ciboulette fraîche hachée

craquelins et bâtonnets de céleri, de
  concombre et de carotte, pour le service

ANANAS ET TREMPETTE AU FROMAGE À LA CRÈME

Il est préférable de servir cette trempette peu de temps après l'avoir préparée; à la longue, l'ananas frais exsude un jus qui peut rendre la trempette trop liquide.

Couper l'ananas en deux dans le sens de la longueur. Utiliser un couteau bien aiguisé pour découper soigneusement l'intérieur des moitiés d'ananas. Retirer la chair à l'aide d'une cuillère. Mettre les moitiés d'ananas vides à l'envers sur une assiette profonde pour en laisser échapper le jus. Couvrir et réfrigérer.

Mettre les morceaux d'ananas dans un tamis non métallique au-dessus d'un bol, et laisser égoutter l'excès de jus.

Mélanger le fromage à la crème et le yaourt dans un bol. Incorporer les morceaux d'ananas, la ciboulette et le paprika. Assaisonner au goût de poivre noir. Couvrir et réfrigérer.

Juste avant de servir, verser la trempette dans les moitiés d'ananas à l'aide d'une cuillère, et garnir de ciboulette hachée. Servir avec une variété de craquelins, et des bâtonnets de céleri, de concombre et de carotte froids.

Chapitre 2

Plats de résistance

Des idées pour les repas en
famille ou les réceptions.
Une variété de délicieuses
recettes pour le plat
principal du jour.

SALADE DE POIS CHICHES ET D'AIL FRIT

4 à 6 portions

Servez cette salade avec d'autres salades pour composer un repas, ou agrémentez-la d'un peu de yaourt grec et servez-la sur du pain pita pour en faire un goûter léger.

Chauffer l'huile dans une petite poêle à frire et faire cuire les gousses d'ail et les graines de cumin à feu doux pendant 5 minutes, en remuant occasionnellement, jusqu'à ce que l'ail soit tendre, mais non roussi.

Mettre les pois chiches dans un plat de service, incorporer le mélange à l'ail, la menthe, la coriandre et le jus de lime. Assaisonner au goût et servir pendant que c'est chaud, avec du yaourt grec.

INGRÉDIENTS

2 c. à soupe d'huile végétale

2 gousses d'ail émincées

1 c. à thé de graines de cumin

275 g (10 oz) de pois chiches en conserve, égouttés et rincés

2 c. à soupe de menthe fraîche

2 c. à soupe de coriandre fraîche hachée

jus de 1 lime

sel et poivre noir fraîchement moulu

yaourt grec

INGRÉDIENTS

450 g (2 t / 1 lb) de pâtes courtes sèches

1 soupçon d'huile d'olive

220 g (8 oz) de champignons
    coupés en quatre

1 poivron rouge, évidé, épépiné et coupé
    en quartiers

1 poivron jaune, évidé, épépiné et coupé
    en quartiers

220 g (1½ t / 8 oz) d'olives noires dénoyautées

4 c. à soupe de basilic frais haché

2 c. à soupe de persil frais haché

Vinaigrette

2 c. à thé de vinaigre de vin rouge

1 c. à thé de sel

poivre noir fraîchement moulu

4 c. à soupe d'huile d'olive extra-vierge

1 gousse d'ail émincée

1 à 2 c. à thé de moutarde de Dijon

SALADE DE PÂTES AUX CHAMPIGNONS ET AUX HERBES

4 à 8 portions

On peut utiliser des pâtes courtes de toutes sortes de formes pour réaliser cette salade. Celle-ci peut être servie comme plat principal, ou accompagner des viandes froides.

Faire bouillir de l'eau dans une grande casserole, puis ajouter les pâtes et un soupçon d'huile d'olive. Cuire environ 10 minutes, jusqu'à ce que les pâtes soient tendres. Égoutter, rincer à l'eau froide. Bien égoutter à nouveau.

Mettre les pâtes cuites dans un grand bol à salade, et ajouter les autres ingrédients. Bien mélanger.

Pour faire la vinaigrette, mettre tous les ingrédients dans une bouteille et agiter vigoureusement. Verser la vinaigrette sur la salade et mélanger. Couvrir et réfrigérer au moins 30 minutes, puis mélanger de nouveau avant de servir.

SALADE DE RIZ À LA *CAPONATA*

4 à 6 portions

Cette recette combine la caponata, *une relish populaire dans la cuisine italienne, avec du riz arborio, ou du risotto. Quoique le riz arborio soit préférable, on peut le remplacer par du riz blanc à grain long.*

Amener 1,7 l (6 t) d'eau à ébullition dans une grande casserole. Saler. Ajouter le riz et cuire sans couvrir à feu modéré pendant 12 minutes, ou jusqu'à ce que le riz soit *al dente*. Égoutter le riz, le rincer à l'eau froide, et l'égoutter à nouveau. Réserver.

Quand le riz est cuit, faire sauter l'oignon avec 2 cuillerées à soupe d'huile dans une poêle à frire à feu modéré. Cuire environ 5 minutes, jusqu'à ce que l'oignon devienne tendre et translucide. Ajouter l'aubergine, l'ail et une autre cuillerée à soupe d'huile, et cuire environ 7 minutes, jusqu'à ce que l'aubergine soit tendre.

Mettre le riz cuit dans un grand bol et mélanger avec le reste de l'huile d'olive et le vinaigre balsamique. Ajouter le mélange à l'aubergine, les tomates en dés, les câpres, les olives et l'herbe de votre choix, et bien mélanger. Assaisonner au goût, et laisser reposer au moins 20 minutes avant de servir.

INGRÉDIENTS

1 c. à soupe de sel

450 g (2 t / 1 lb) de riz arborio

1 oignon moyen, coupé en dés

6 c. à soupe d'huile d'olive

1 petite aubergine, coupée en dés

2 gousses d'ail émincées

3 c. à soupe de vinaigre balsamique

3 grosses tomates, épépinées et coupées en dés

2 c. à soupe de câpres égouttées

10 petites olives vertes dénoyautées et hachées

4 c. à soupe d'herbes fraîches hachées mélangées (basilic, marjolaine, menthe, origan et persil)

sel et poivre noir fraîchement moulu

INGRÉDIENTS

300 g (1¾ t / 12 oz) de bucatini secs
   (longues pâtes creuses)

1 soupçon d'huile d'olive

2 gousses d'ail écrasées

1 oignon émincé

450 g (1 lb) de coulis de tomates

4 c. à soupe de basilic frais haché

sel et poivre noir fraîchement moulu

beurre

75 g (3 oz) de fromage Pecorino ou de
parmesan frais râpé

BUCATINI AUX TOMATES

4 portions

Quand vous servirez ce plat, ne vous étonnez pas que vos invités en redemandent. Bien qu'il soit très nourrissant, on peut difficilement résister à la tentation d'en prendre une deuxième portion.

Amener une grande casserole d'eau à ébullition, ajouter les bucatini et l'huile d'olive. Cuire environ 10 minutes, en remuant occasionnellement, jusqu'à ce que les pâtes soient tendres. Égoutter et réserver.

Préchauffer le four à 200 °C. Mettre l'ail, l'oignon, le coulis de tomates, le basilic frais et l'assaisonnement dans une grande poêle à frire, et faire mijoter. Cuire environ 5 minutes, puis retirer du feu.

Beurrer un plat peu profond qui peut aller au four, et le remplir des bucatini en les disposant en rond.

Garnir du mélange aux tomates à l'aide d'une cuillère, et secouer les pâtes de manière à ce que la sauce tombe au fond du plat. Saupoudrer de fromage, et cuire au four pendant 25 à 30 minutes, jusqu'à ce que les pâtes soient croustillantes et dorées. Couper en pointes pour servir.

INGRÉDIENTS

450 g (1 lb) de pommes de terre,
  tranchées mince

2 gousses d'ail émincées

125 g (½ t) de fromage râpé

1 oignon, coupé en deux et tranché

2 c. à soupe de persil frais haché

100 ml (½ t / 4 oz) de succédané de crème
demi-grasse

100 ml (½ t / 4 oz) de lait écrémé

poivre noir moulu

persil frais haché pour garnir

GRATIN DE POMMES DE TERRE

4 portions

Cette recette demande un succédané de crème demi-grasse, plutôt que de la crème riche en matières grasses. Si vous le préférez, vous pouvez utiliser du lait écrémé ou du bouillon de légumes.

Faire cuire les pommes de terre à l'eau bouillante pendant 10 minutes. Bien égoutter. Disposer une couche de pommes de terre au fond d'un plat peu profond allant au four. Ajouter un peu d'ail, du fromage, de l'oignon et du persil. Répéter les couches jusqu'à ce que tous les ingrédients aient été utilisés; finir par une couche de fromage.

Mélanger le succédané de crème demi-grasse et le lait. Assaisonner et verser sur les couches de pommes de terre. Cuire au four à 165 °C pendant 1½ heure ou jusqu'à ce que les pommes de terre soient cuites et aient pris une couleur brun doré. Saupoudrer de poivre noir, garnir de persil et servir.

INGRÉDIENTS

550 g (1 ¼ lb) de tomates bien savoureuses,
    tranchées

100 g (¼ t / 4 oz) de fromage de brebis
    (Manchego ou Cabrales), coupé
    grossièrement ou tranché

coriandre fraîche hachée

huile d'olive

2 citron

sel et poivre

SALADE DE TOMATES ET DE FROMAGE

4 portions

Le goût légèrement piquant du fromage de brebis à pâte demi-dure contraste agréablement avec la saveur fraîche et douce des tomates bien juteuses. La coriandre hachée complète les deux saveurs. C'est la meilleure salade de tomates qui soit.

Disposer les tranches de tomates dans un plat peu profond et les parsemer de morceaux de fromage. Saupoudrer de coriandre. Servir avec des moitiés de citron et laisser les convives assaisonner au goût.

COUSCOUS AUX LÉGUMES À LA TUNISIENNE

4 portions

Le couscous, un élément essentiel de la cuisine nord-africaine, est fait de particules de semoule de blé dur. Pour précuire les grains de couscous, lavez-les soigneusement et faites-les cuire à la vapeur à découvert au-dessus d'une casserole d'eau bouillante pendant 30 minutes. Disposez le couscous sur une assiette, et arrosez-le d'un peu d'eau froide avant de continuer la cuisson selon la recette à la façon tunisienne.

Mettre les pois chiches et les haricots adzukis égouttés dans des casseroles distinctes, couvrir d'eau et faire bouillir rapidement pendant 10 minutes. Couvrir et laisser mijoter pendant 30 à 40 minutes.

Mettre l'ail, les poireaux, les carottes, le chou-fleur, les zucchinis, le panais, la pâte de tomate, la coriandre, le curcuma et les fines herbes dans une grande casserole. Ajouter de l'eau, amener à ébullition, couvrir et laisser mijoter pendant 20 minutes.

Ajouter les pois chiches, les haricots adzukis, le poivron vert et les tomates aux légumes. Ramener à ébullition.

Mettre le couscous partiellement cuits dans une étuveuse tapissée d'une double épaisseur de mousseline ou d'un torchon propre; placer l'étuveuse sur la casserole de légumes. Couvrir et cuire pendant 15 minutes; remuer les grains une fois ou deux.

Incorporer le yaourt maigre dans le couscous, et disposer le tout dans un plat de service chaud. Assaisonner et garnir les légumes, et les servir dans un autre plat chaud.

INGRÉDIENTS

220 g (1 t / 8 oz) de pois chiches, trempés toute la nuit et égouttés

220 g (1 t / 8 oz) de haricots adzukis, trempés toute la nuit et égouttés

2 gousses d'ail écrasées

2 poireaux tranchés

2 carottes tranchées mince

300 g (12 oz) de bouquets de chou-fleur

3 zucchinis tranchés

1 panais, tranché mince

2 c. à soupe de pâte de tomate

2 c. à thé de coriandre moulue

½ c. à thé de curcuma moulu

1 c. à thé d'herbes mélangées séchées

650 ml (2½ t) d'eau

1 poivron vert, évidé, épépiné et tranché

300 g (12 oz) de tomates, pelées et coupées en quartiers

100 g (4 oz) de grains de couscous précuits (qui donneront 220 g [8 oz])

2 c. à soupe de yaourt nature maigre

sel et paprika

Garniture

persil frais

INGRÉDIENTS

75 g (3 oz) de champignons tranchés

2 c. à soupe de beurre

2 branches de céleri, tranchées

1 gousse d'ail écrasée

1 oignon moyen, rapé

1 c. à soupe de farine de blé entier

350 g (14 oz) de tomates coupées

650 g (2½ t / 1½ lb) de chapelure de blé entier

250 g (1 t) de noix hachées

1 œuf

1 c. à thé de basilic séché

1 c. à thé d'origan

1 c. à thé de persil frais haché

sel et poivre noir fraîchement moulu

100 g (4 oz) de tiges de brocoli, cuites

Sauce

50 gr (2 oz) de champignons hachés

1 c. à soupe de farine de blé entier

100 ml (½ t) de bouillon de légumes

100 ml (½ t) de lait écrémé

Garniture

feuilles de céleri

PAIN AUX NOIX, AU BROCOLI ET AUX CHAMPIGNONS

4 portions

Ce pain végétarien, avec sa belle couche verte de tiges de brocoli, est à la fois attrayant et appétissant. On peut le servir chaud ou froid, et il se congèle très bien.

Préchauffer le four à 180 °C. Faire sauter les champignons dans une casserole avec la moitié du beurre. Égoutter les tranches de champignons et les disposer en ligne droite au centre d'un moule à pain légèrement beurré.

Faire cuire le céleri, l'ail et l'oignon dans la même casserole, jusqu'à ce qu'ils soient tendres. Incorporer la farine et les tomates (avec leur jus), et cuire jusqu'à ce que le mélange épaississe. Ajouter la chapelure, les noix, l'œuf, les herbes et l'assaisonnement, et retirer du feu. Disposer la moitié du mélange dans le moule à pain. Ajouter les tiges de brocoli, et couvrir du reste du mélange.

Couvrir le moule de papier d'aluminium, le placer dans une rôtissoire à moitié remplie d'eau bouillante, et cuire au four pendant 1¼ à 1½ heure.

Pour la sauce, faire fondre le reste du beurre, ajouter les champignons hachés, et cuire pendant 2 à 3 minutes. Incorporer la farine, et cuire pendant 1 minute. Ajouter le bouillon et le lait, assaisonner et remuer pendant 1 à 2 minutes, jusqu'à épaississement.

Démouler le pain sur un plat de service chaud, et servir la sauce séparément. Garnir de feuilles de céleri.

RAGOÛT DE LÉGUMES À L'ARMÉNIENNE

4 p o r t i o n s

Il n'existe pas de règles fixes pour préparer cette spécialité arménienne. On peut y mettre tout ce qu'on a sous la main, par exemple remplacer les carottes par du panais, le céleri par du chou. On peut servir le ragoût comme plat principal ou d'accompagnement.

Préchauffer le four à 180 °C. Mettre l'huile dans une grande casserole en fonte ou en acier inoxydable, et la faire chauffer à feu moyen. Ajouter l'ail et remuer pour parfumer l'huile, environ 2 minutes. Verser le bouillon et ajouter la feuille de laurier, les herbes et l'assaisonnement au goût. Amener à ébullition.

Ajouter les légumes progressivement, et remuer pour bien les enrober de liquide. Couvrir avec un couvercle ou du papier d'aluminium, et mettre au four. Cuire environ 1 heure, ou jusqu'à ce que tous les légumes soient tendres, en remuant occasionnellement.

INGRÉDIENTS

8 c. à soupe d'huile d'olive

4 gousses d'ail écrasées

250 ml (1 t) de bouillon de légumes

1 feuille de laurier

½ c. à thé d'estragon séché

½ c. à thé d'origan séché

sel et poivre noir fraîchement moulu

2 carottes moyennes, coupées en deux
　et tranchées mince

100 g (4 oz) de haricots verts frais, coupés
　en morceaux de 1 cm (½ po)

2 petites pommes de terre, pelées et
　coupées en dés

2 tiges de céleri, coupées dans le sens
　de la longueur et tranchées mince

1 zucchinis, tranché en minces rondelles

1 petite aubergine, coupée en deux
　et tranchée mince

1 petit oignon rouge, tranché mince

1 petit chou-fleur, en bouquets

½ poivron rouge, évidé, épépiné et
　coupé en lanières

½ poivron vert, évidé, épépiné et
　coupé en lanières

100 g (4 oz) de petits pois frais

RAGOÛT DE ZUCCHINI

4 portions

Voici une bonne façon de transformer les zucchinis en un goûter ou un mets végétarien délicieux. Il est important de préparer votre propre bouquet garni : il est préférable de choisir les herbes en fonction du marché que de mettre votre plat en péril avec des préparations commerciales.

Chauffer l'huile dans une casserole allant au four. Ajouter les oignons, le céleri, les carottes, l'ail et le bouquet garni. Bien mélanger jusqu'à ce que la préparation grésille, puis couvrir et cuire à feu moyen pendant 20 minutes. Remuer une fois.

Incorporer la pâte de tomate et les tomates en conserve, et bien assaisonner. Amener à ébullition. Ajouter le zucchini, et bien mélanger. Réduire le feu, de manière que le mélange mijote à peine, couvrir et laisser mijoter doucement pendant 1 heure; remuer de temps en temps. Le zucchini doit être tendre, mais pas réduite en bouillie.

Chauffer le four à 200 °C.

Mélanger la chapelure, le fromage et le persil, puis saupoudrer le mélange sur le zucchini. Cuire au four 20-30 minutes, jusqu'à ce que le dessus soit croustillant et doré. Servir immédiatement. Le dessus peut être grillé au goût.

INGRÉDIENTS

3 c. à soupe d'huile d'olive

2 oignons hachés

4 branches de céleri, hachées

2 carottes, coupées en dés

2 gousses d'ail écrasées

1 bouquet garni

4 c. à soupe de pâte de tomate

350 g (14 oz) de tomates en conserve coupées

sel et poivre noir fraîchement moulu

650 g ou 1 ½ zucchini pelé, épépiné et tranché mince

250 g (1 t / 8 oz) de chapelure de blé entier fraîche

2 c. à table de persil frais haché

75 g (3 oz) de fromage ferme maigre, râpé

SAUCE CRÉMEUSE AU CÉLERI

4 portions

Une sauce crémeuse à faible teneur en matières grasses pour servir avec des pâtes : soit pour napper les spaghetti ou les tagliatelle, soit pour garnir une lasagne.

Éplucher le céleri, enlever l'extrémité de la racine et les pointes des branches. Hacher les feuilles (qui seront ajoutées à la sauce) et réserver. Séparer les branches, les laver, et les couper en dés. C'est facile : couper les branches en 3 ou 4 dans le sens de la longueur, puis les couper en dés perpendiculairement.

Chauffer l'huile dans une grande casserole à fond épais. Ajouter l'oignon, l'ail (si désiré), la carotte, la feuille de laurier et le céleri (les branches en dés et les feuilles). Bien mélanger à feu moyen pendant 5 minutes, puis couvir et cuire doucement pendant 15 minutes pour attendrir les légumes.

Incorporer la farine, puis verser graduellement le vin et le bouillon. Amener à ébullition, réduire le feu et laisser mijoter doucement, sans couvrir, pendant 20 minutes, en remuant de temps en temps. Ajouter l'assaisonnement au goût, et incorporer le fromage maigre. Ne pas faire bouillir. Retirer du feu, et ajouter l'estragon et ou basilic. Servir immédiatement.

INGRÉDIENTS

1 pied de céleri

2 c. à soupe d'huile d'olive

1 oignon haché

1 gousse d'ail écrasée (facultatif)

1 carotte en dés

1 feuille de laurier

3 c. à soupe de farine tout usage

200 ml (1 t) de vin blanc

200 ml (1 t) de bouillon de légumes

sel et poivre noir fraîchement moulu

100 g (½ t / 4 oz) de fromage à pâte
    molle maigre

1 à 2 c. à soupe d'estragon frais ou
    une poignée de feuilles de basilic hachées

INGRÉDIENTS

4 c. à soupe d'huile d'olive

2 gousses d'ail écrasées

450 g (1 lb) de champignons tranchés

1 botte d'oignons verts hachés

sel et poivre noir fraîchement moulu

1 feuille de laurier

2 boîtes de 420 ml (14 oz) de
   tomates coupées

2 c. à soupe de pâte de tomate

1 poignée de feuilles de basilic hachées

SAUCE AUX CHAMPIGNONS ET AUX TOMATES

4 portions

Nappez des pâtes bien chaudes de cette sauce facile à préparer, et saupoudrez chaque plat de fromage maigre fraîchement râpé.

Faites chauffer l'huile dans une grande casserole à fond épais. Ajouter l'ail, les champignons, les oignons verts, l'assaisonnement et la feuille de laurier. Cuire à feu moyen, en remuant de temps en temps, pendant 20 minutes ou jusqu'à ce que les champignons soient bien cuits et qu'une bonne partie du liquide soit évaporée.

Ajouter les tomates et incorporer la pâte de tomate, puis amener à ébullition et réduire le feu. Laisser mijoter 3 minutes, puis assaisonner au goût. Incorporer le basilic et servir la sauce.

MOUSSAKA AUX LENTILLES

4 à 6 portions

Une version sans viande de ce gratin classique. Un plat riche, nourrissant et plein de fibres, donc sûrement très bon pour la santé !

Préchauffer le four à 220 °C. Dans une grande casserole, faire chauffer 2 cuillerées à soupe d'huile. Ajouter l'oignon, l'ail et le poivron et cuire à feu doux jusqu'à ce qu'ils soient tendres. Ajouter les lentilles, le vin rouge et les tomates. Amener à ébullition, puis assaisonner et ajouter l'origan. Laisser mijoter pendant 20 minutes, ou jusqu'à ce que les lentilles soient tendres. Ajouter un peu de vin rouge si la sauce semble sèche.

Entre-temps, faire chauffer 2 à 3 cuillerées à soupe d'huile dans une poêle à frire. Faire frire les tranches d'aubergine des deux côtés jusqu'à ce qu'elles soient tendres en ajoutant de l'huile si nécessaire, puis les égoutter sur des essuie-tout. Ajouter à la sauce l'huile qui reste dans la poêle s'il y en a.

Faire chauffer le lait, le beurre et la farine dans une casserole, en remuant constamment, jusqu'à ce que le mélange atteigne le point d'ébullition et épaississe. Continuer la cuisson pendant 1 minute, pour éliminer le goût de farine de la sauce, puis retirer la casserole du feu. Ajouter le fromage râpé sauf 2 cuillerées à soupe, et assaisonner au goût.

Disposer en couches la sauce aux lentilles et les tranches d'aubergines dans un plat beurré allant au four ; finir par une couche d'aubergines. Napper les aubergines de sauce, puis parsemer le dessus du reste de fromage. Cuire au four préchauffé pendant 30 minutes, jusqu'à ce que la moussaka soit brunie et figée. Servir avec une salade et du pain à l'ail.

INGRÉDIENTS

huile d'olive, pour la friture

1 gros oignon haché

2 gousses d'ail écrasées

1 poivron vert, évidé, épépiné et haché

250 g (1 t) de lentilles roses

110 ml (½ tasse / 3 oz) de vin rouge

450 g (2 t) de tomates en conserve coupées

sel et poivre noir fraîchement moulu

1 c. à soupe d'origan frais moulu

2 grosses aubergines tranchées

750 ml (2½ t) de lait

4 c. à soupe de beurre, et plus pour graisser le plat

4 c. à soupe de farine tout usage

220 g (8 oz) de cheddar râpé

INGRÉDIENTS

450 g (1 lb) de carottes, pelées et
  tranchées mince

sel

200 g (7 oz) de maïs en conserve

1 c. à soupe de miel clair

½ c. à thé de gingembre moulu

1 grosse pincée de muscade râpée

3 c. à soupe de bouillon de légumes

2 c. à soupe de menthe fraîche hachée

sel et poivre noir fraîchement moulu

huile pour badigeonner

Garniture

4 c. à soupe de chapelure de blé entier

1 c. à soupe de graines de sésame

1 c. à soupe de graines de tournesol

1 c. à soupe de farine de blé entier

5 c. à soupe d'huile de tournesol

sel et poivre fraîchement moulu

GRATIN DE CAROTTES ET MAÏS ÉPICÉS

4 portions

Ce mélange de légumes et d'épices inusité recouvert d'une garniture croquante peut être préparé à l'avance et cuit plus tard.

Préchauffer le four à 190 °C. Cuire les carottes à la vapeur au-dessus d'eau bouillante salée pendant 8 à 10 minutes, ou jusqu'à ce qu'elles soient tendres. Les mélanger avec le maïs, le miel, le gingembre, la muscade, le bouillon et la menthe ; assaisonner de sel et de poivre.

Badigeonner légèrement d'huile un plat de grosseur moyenne allant au four. Y disposer le mélange de légumes, et égaliser la surface.

Mélanger la chapelure, les graines et la farine, et incorporer graduellement l'huile en remuant. Assaisonner le mélange de sel et de poivre, et l'étendre sur la couche de légumes. Cuire au four pendant 20 minutes, ou jusqu'à ce que le dessus soit brun doré. Servir très chaud.

RAGOÛT DE LÉGUMES D'HIVER

4 portions

Plusieurs légumes d'hiver entrent dans cette recette , mais vous pouvez utiliser ce que vous avez sous la main, du moment que le mélange est harmonieux. Le chou-fleur contribue à épaissir légèrement la sauce ; il est donc toujours préférable d'en inclure dans la préparation.

Faire cuire les pommes de terre dans l'eau bouillante pendant 10 minutes. Bien égoutter et réserver. Entre-temps, faire chauffer 200 ml (1 t) du bouillon dans une cocotte ignifuge. Ajouter tous les légumes, le reste du bouillon, l'assaisonnement et le paprika, et cuire 15 minutes en remuant occasionnellement. Ajouter les herbes et rectifier l'assaisonnement.

Disposer les tranches de pommes de terre sur le mélange de légumes et saupoudrer de fromage. Cuire au four à 190 °C pendant 30 minutes, ou jusqu'à ce que le dessus soit brun doré et que le fromage ait fondu. Servir avec une salade fraîche et croquante.

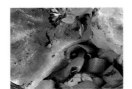

INGRÉDIENTS

2 grosses pommes de terre tranchées

1,7 l (7 t) de bouillon de légumes

2 carottes, coupées en morceaux

1 oignon tranché

2 gousses d'ail écrasées

2 panais tranchés

1 poireau tranché

2 branches de céleri tranchées

300 g (12 oz) de bouquets de chou-fleur

sel et poivre noir fraîchement moulu

1 c. à thé de paprika

2 c. à soupe d'herbes fraîches
  mélangées hachées

50 g (2 oz) de fromage végétarien râpé

POT-POURRI DE LÉGUMES

4 portions

Voici une sauce délicieuse. Servez-la avec des pâtes courtes, comme des coquilles ou des spirales, plutôt qu'avec des pâtes longues et minces.

Faire cuire le chou-fleur à l'eau bouillante salée pendant 3 minutes, ou jusqu'à ce qu'il soit légèrement attendri. Égoutter avec soin.

Faire chauffer l'huile d'olive et le beurre dans une grande casserole. Ajouter l'oignon, les carottes et le chou-fleur, et remuer ; puis couvrir la casserole et cuire pendant 10 minutes. Remuer la casserole occasionnellement pour empêcher les légumes de coller.

Ajouter les zucchinis, les champignons, l'estragon, le zeste et le jus de citron Remuer, couvrir la casserole de nouveau, et cuire encore 2 à 3 minutes, ou jusqu'à ce que les zucchinis deviennent vert vif et tendres, mais légèrement croquants et savoureuses. Rectifier l'assaisonnement avant de servir.

INGRÉDIENTS

150 g (6 oz) de chou-fleur en petits bouquets

sel et poivre noir fraîchement moulu

2 c. à soupe d'huile d'olive

2 c. à soupe de beurre

1 oignon haché

150 g (6 oz) de mini-carottes, coupées en quatre dans le sens de la longueur et tranchées mince

220 g (8 oz) de zucchinis, légèrement pelés et tranchés mince

220 g (8 oz) de champignons tranchés

1 gros brin d'estragon haché

zeste de ½ citron

quelques gouttes de jus de citron

SALADE DE POIVRONS À LA MENTHE

4 portions

Préparez cette salade fraîche, légère et colorée pour un dîner estival ou un pique-nique, mais n'ajoutez l'huile d'olive qu'au moment de servir.

Amener une casserole d'eau à ébullition, et ajouter les macaronis avec une goutte d'huile d'olive. Cuire pendant 10 minutes, ou jusqu'à ce que les pâtes soient tendres. Égoutter, rincer et mettre dans un bol à mélanger.

Mélanger le reste des ingrédients avec les pâtes. Arroser la salade d'un peu d'huile d'olive, et servir.

INGRÉDIENTS

350 g (1½ / 14 oz) de macaronis secs

1 goutte d'huile d'olive, et un peu plus pour arroser la salade

1 poivron jaune, évidé, épépiné et coupé en losanges

1 poivron vert, évidé, épépiné et coupé en losanges

350 g (14 oz) de cœurs d'artichauts en conserve, égouttés et coupés en quatre

1 morceau de concombre de 15 cm (6 po) tranché

1 poignée de feuilles de menthe

sel et poivre noir fraîchement moulu

100 g (4 oz) de parmesan frais râpé

AUBERGINE AUX POMMES DE TERRE ÉPICÉES

4 portions

Laver l'aubergine. La couper en quartiers dans le sens de la longueur, puis, tenir les morceaux ensemble et les couper en bouchées de 1 cm (½ po).

Brosser soigneusement les pommes de terre, et ne pas les peler ; couper chaque pomme de terre en quartiers, et couper chaque quartier en deux ou plus, de manière à obtenir au moins 12 morceaux de la taille de bouchées pour chaque pomme de terre.

Faire chauffer l'huile dans une casserole moyenne à fond épais, et faire frire l'oignon jusqu'à ce qu'il soit légèrement bruni.

Ajouter le cumin, les graines de coriandre et la poudre de cari, si vous en utilisez. Faire frire environ une minute, puis ajouter le gingembre, la moitié de l'ail, le piment fort en poudre, le curcuma et le sel. Faire cuire ce mélange à feu assez vif ; ajouter 2 cuillerées à soupe d'eau si nécessaire, de manière à ce que la pâte d'épices prenne une couleur sombre, mais ne colle pas. Cela ne devrait pas prendre plus de 2 minutes.

Ajouter l'aubergine, puis le yaourt et le sucre. Mélanger le tout et cuire 2 à 3 minutes. Ajouter 200 ml (1 t) d'eau, baisser le feu, couvrir, et laisser mijoter 15 minutes.

Ajouter les pommes de terre, les piments rouge et la tomate, couvrir de nouveau, et laisser mijoter encore 10 minutes ; vérifier de temps en temps que la préparation ne colle pas et ne brûle pas. Si le mélange paraît un peu trop sec, ou pour obtenir un peu plus de sauce, ajouter un peu d'eau et laisser mijoter quelques minutes de plus.

Enfin, ajouter le reste de l'ail, le jus de citron et les feuilles de coriandre. Cuire encore 1 minute, remuer délicatement pour bien mélanger, et servir.

INGRÉDIENTS

300 g (12 oz) d'aubergines

220 g (8 oz) de pommes de terre

2 c. à soupe d'huile

1 oignon tranché

½ c. à thé de graines de cumin

½ c. à thé de graines de coriandre rôties et écrasées

½ c. à thé de poudre de cari (facultatif)

1 c. à thé de gingembre râpé

4 à 5 gousses d'ail émincées

½ c. à thé de piment fort en poudre

¼ c. à thé de curcuma

sel au goût

1 c. à soupe de yaourt nature maigre

½ c. à thé de sucre

1 à 2 piments rouges hachés

1 tomate hachée

1 c. à soupe de jus de citron

2 c. à soupe de feuilles de coriandre hachées

SPAGHETTI AUX TOMATES À LA SAUCE AUX CHAMPIGNONS

4 à 6 portions

Pour réaliser ce plat, vous devez inclure au moins une sorte de champignons séchés, car c'est ce qui fait la richesse typique de la saveur des mets italiens à base de champignons. Les cèpes se conservent bien et sont un ingrédient indispensable dans toute cuisine qui se respecte.

Faire tremper les cèpes dans l'eau tiède environ 20 minutes. Égoutter, réserver l'eau de trempage, et couper les cèpes. Faire chauffer l'huile dans une casserole, et faire sauter l'oignon et l'ail pendant 3 minutes. Ajouter les cèpes, les pleurotes ou les chanterelles et les champignons de couche. Faire sauter encore 5 minutes, en remuant fréquemment.

Passer le liquide de trempage des cèpes dans la casserole et ajouter le vin rouge. Amener à ébullition, puis laisser mijoter 5 minutes, ou jusqu'à ce que les champignons soient cuits et que le liquide ait réduit d'environ la moitié. Ajouter l'huile d'olive extra-vierge, assaisonner au goût, et ajouter la sauge. Couvrir, retirer du feu, et réserver.

Entre-temps, faire cuire les spaghetti aux tomates dans une grande quantité d'eau bouillante salée pendant 3 à 4 minutes, ou jusqu'à ce qu'ils soient *al dente*. Les égoutter et les remettre dans la casserole. Ajouter la sauce aux champignons, et mélanger légèrement. Servir, et garnir de sauge fraîche hachée.

INGRÉDIENTS

Pour la sauce

15 g (½ oz) de cèpes séchés

3 c. à soupe d'huile d'olive

1 oignon rouge pelé et coupé en quartiers

3 à 6 gousses d'ail, émincées

100 g (4 oz) de pleurotes ou de chanterelles, essuyés et tranchés

100 g (4 oz) de champignons de couche, essuyés et tranchés

6 c. à soupe de vin rouge

2 c. à soupe d'huile d'olive extra-vierge

sel et poivre noir fraîchement moulu

2 c. à soupe de sauge fraîche hachée

Pour servir

450 g (2 t / 1 lb) de spaghetti frais aux tomates

sauge fraîche hachée

Ingrédients

150 g (¾ t / 6 oz) de vermicelles fins

2 c. à soupe d'huile de tournesol

2 tiges de citronnelle hachées,
  feuilles extérieures enlevées

1 morceau de gingembre de 2,5 cm (1 po),
  pelé et râpé

1 oignon rouge, coupé en minces quartiers

2 gousses d'ail écrasées

4 piments rouges thaïlandais,
  évidés, épépinés et tranchés

1 poivron rouge, évidé, épépiné et coupé
  en allumettes

100 g (4 oz) de carottes, tranchées
  très mince à l'aide d'un éplucheur

100 g (4 oz) de zucchini, tranchées
  à l'aide d'un éplucheur

75 g (3 oz) de pois mange-tout, épluchés
  et coupés en deux en diagonale

6 oignons verts, épluchés et coupés
  en diagonale

200 g (1 t / 8 oz) de noix de cajou

2 c. à soupe de sauce de soja

jus de 1 orange

1 c. à thé de miel

1 c. à soupe d'huile de sésame

Nouilles thaïlandaises aux piments et aux légumes

4 portions

Le riz ou les nouilles, qu'ils soient bouillis ou frits, forment la base de la plupart des mets thaïlandais. La cuisine thaïlandaise est souvent légèrement parfumée de citronnelle, ingrédient qu'on trouve dans de nombreuses recettes.

Faire cuire les nouilles dans l'eau bouillante légèrement salée pendant 3 minutes. Les égoutter, les plonger dans l'eau froide, égoutter de nouveau et réserver.

Faire chauffer l'huile dans un wok ou une grande casserole, et faire sauter la citronnelle et le gingembre pendant 2 minutes. Jeter la citronnelle et le gingembre, et laisser l'huile dans la casserole.

Ajouter l'oignon, l'ail et les piments, et faire sauter 2 minutes. Ajouter le poivron et cuire encore 2 minutes. Ajouter le reste des légumes, et faire sauter 2 minutes. Puis ajouter les nouilles réservées, les noix de cajou et la sauce de soja, le jus d'orange et le miel. Faire sauter 1 minute. Ajouter l'huile de sésame et faire sauter 30 secondes. Servir immédiatement.

FRICASSÉE AUX CHÂTAIGNES

4 portions

Faites cuire les pommes de terre à l'avance pour préparer ce plat, ou utilisez des restes de pommes de terre cuites pour gagner du temps. Pour obtenir une texture plus croquante, laissez brunir les pommes de terre au fond de la casserole.

Faire cuire les pommes de terre à l'eau bouillante salée pendant 20 minutes, ou jusqu'à ce qu'elles soient tendres. Égoutter et réserver.

Entre-temps, faire cuire le reste des ingrédients dans une casserole pendant 10 minutes en remuant. Ajouter les pommes de terre, et cuire encore 15 minutes, en remuant et en pressant avec le dos d'une cuillère. Garnir de persil Servir immédiatement avec du pain.

INGRÉDIENTS

1,3 kg (3 lb) de pommes de terre, pelées et coupées en dés

1 oignon rouge, coupé en deux et tranché

100 g (4 oz) de pois mange-tout

100 g (4 oz) de bouquets de brocoli

1 zucchini, tranché

1 poivron vert évidé, épépiné et tranché

50 g (2 oz) de maïs en conserve, égoutté

2 gousses d'ail finement hachées

1 c. à thé de paprika

2 c. à soupe de persil frais haché

300 ml (1 ½ t) de bouillon de légumes

100 g (½ t) de châtaignes cuites, pelées et coupées en quartiers

poivre noir fraîchement moulu

Garniture

brins de persil

INGRÉDIENTS

100 g (4 oz) de haricots verts

150 g (6 oz) de pommes de terre

100 g (4 oz) de carottes

150 g (6 oz) d'aubergine

100 g (4 oz) de tomates

1 à 2 piments verts

2 c. à soupe d'huile

7 à 8 gousses d'ail, émincées

½ c. à thé de piment fort en poudre

¼ c. à thé de curcuma moulu

½ à ¾ c. à thé de sel

2 à 3 c. à soupe de menthe ou de
   coriandre fraîche

BHAJI DE CINQ LÉGUMES À LA MENTHE

4 portions

Le bhaji, traditionnellement indien, est un plat de légumes épicé. Celui-ci est amusant, parce qu'il a un goût différent chaque fois qu'on le prépare, du fait que la combinaison de légumes n'est jamais tout à fait identique.

Ébouter les haricots et les couper en bouchées.

Couper les pommes de terre en quartiers, puis encore en deux ; il est préférable de conserver la peau.

Gratter les carottes et les couper en dés.

Couper l'aubergine en quatre dans le sens de la longueur, puis perpendiculairement en morceaux de 1 cm (½ po).

Couper grossièrement les tomates et les piments verts.

Mettre l'huile dans une casserole de grosseur moyenne à fond épais. Ajouter l'ail, le remuer dès qu'il devient translucide, puis ajouter tous les légumes. Incorporer également le piment en poudre, le curcuma et le sel. Mélanger soigneusement les épices.

Baisser le feu, couvrir et cuire encore 20 à 25 minutes.

Ajouter la menthe ou la coriandre, remuer, fermer le feu et laisser reposer 2 à 3 minutes avant de servir.

OMELETTE ÉPICÉE AUX CHAMPIGNONS

2 portions

Séparer les œufs, mettre les blancs et les jaunes dans des bols distincts et battre les deux.

Incorporer la farine dans les jaunes, avec le poivron rouge ou vert, les champignons, les piment vert, l'oignon et toutes les herbes et épices.

Incorporer les blancs d'œufs dans le mélange des jaunes, battre de nouveau et ajouter graduellement 2 cuillerées à soupe d'eau.

Mettre l'huile dans une grande poêle à frire à revêtement anti-adhésif, et la faire chauffer jusqu'à ce qu'elle commence à fumer.

Verser immédiatement le mélange d'œufs et de légumes dans la poêle, baisser le feu, et cuire 1 minute environ en remuant la poêle. Placer la poêle sous un grilloir chaud pour terminer la cuisson de l'omelette.

INGRÉDIENTS

3 gros œufs

1 c. à thé de farine tout usage

2 c. à soupe de poivron rouge ou vert haché

100 g (4 oz) de champignons hachés

1 piment vert, finement haché

1 oignon moyen, tranché mince

½ c. à thé de piment en poudre

¼ c. à thé de poudre d'ail

1 à 2 c. à soupe de coriandre hachée

¼ c. à thé de graines de cumin

¼ c. à thé de sel

1 c. à soupe d'huile

Chapitre 3

Pâtes

Des sauces savoureuses et des légumes croquants qui incarnent l'irrésistible fraîcheur de la cuisine italienne.

FLAN CRÉMEUX AUX PÂTES ET AUX POIREAUX

6 à 8 portions

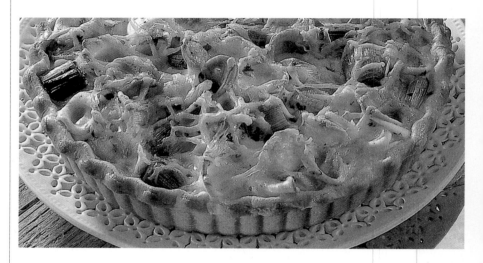

INGRÉDIENTS

100 g (4 oz) d'orecchiette (oreilles) secs

1 goutte d'huile d'olive, plus 3 c. à table

un peu de farine, à saupoudrer

350 g (12 oz) de pâte feuilletée,
   décongelée si elle est surgelée

2 gousses d'ail écrasées

450 g (1 lb) de poireaux, lavés, épluchés
   et coupés en morceaux de 2,5 cm (1 po)

2 c. à table de thym frais haché

2 œufs battus

150 ml (⅔ t) de crème de table

sel et poivre noir fraîchement moulu

75 g (3 oz) de fromage leicester rouge râpé

Ce mets est aussi délicieux frais sorti du four que servi froid avec une salade verte croquante par une chaude journée d'été.

Amener une grande casserole d'eau à ébullition, et ajouter les orecchiette avec une goutte d'huile d'olive. Cuire environ 10 minutes, en remuant de temps en temps, jusqu'à ce que les pâtes soient tendres. Égoutter et réserver.

Saupoudrer la surface de travail d'un peu de farine et rouler la pâte. Tapisser la pâte dans un moule cannelé à fond amovible préalablement graissé. Réfrigérer au moins 10 minutes.

Préchauffer le four à 190 °C. Faire chauffer le reste de l'huile d'olive dans une grande poêle à frire, et faire sauter l'ail, les poireaux et le thym environ 5 minutes, en remuant occasionnellement, jusqu'à ce que les poireaux soient tendres. Incorporer les orecchiette, et continuer la cuisson encore 2 à 3 minutes.

Mettre les œufs battus dans un bol à mélanger et incorporer en fouettant la crème, le sel et le poivre noir fraîchement moulu.

Verser le mélange de pâtes et de poireaux dans la croûte à tarte, et l'étendre uniformément. Couvrir du mélange d'œufs et de crème, puis saupoudrer de fromage. Cuire au four environ 30 minutes, ou jusqu'à ce que le mélange prenne et que la pâte soit croustillante.

CHOU-FLEUR ET BROCOLI AU FROMAGE

4 portions

INGRÉDIENTS

350 g (12 oz) de casareccia secs
    (pâtes longues courbées)
1 goutte d'huile d'olive
50 g (2 oz) de beurre
sel et poivre noir fraîchement moulu
6 mini-chou-fleurs
6 tiges de mini-brocolis
Sauce au fromage (page 111)
3 c. à table de vin blanc sec
2 c. à table de crème épaisse
75 g (3 oz) de vieux cheddar râpé

Les petits légumes peuvent être servis dans les grandes occasions ou tout simplement pour le plaisir. Pour servir cette recette aux enfants, omettez le vin et la crème.

Amener une grande casserole d'eau à ébullition, et ajouter les casareccia avec une goutte d'huile d'olive. Cuire environ 10 minutes, en remuant de temps en temps, jusqu'à ce que les pâtes soient tendres. Égoutter, remettre dans la casserole avec le beurre, et assaisonner de sel et de poivre noir fraîchement moulu. Réserver, couvrir, et garder chaud.

Amener une grande casserole d'eau à ébullition, et ajouter les mini-chou-fleurs et les mini-brocolis. Cuire environ 5 minutes, jusqu'à ce qu'ils soient tendres. Égoutter, remettre dans la casserole, couvrir et garder chaud.

Mettre la Sauce au fromage dans une casserole, et incorporer le vin et la crème. Cuire à feu doux, en remuant constamment, pendant environ 5 minutes.

Pour servir, répartir les pâtes entre quatre assiettes individuelles, et disposer les mini-légumes sur le dessus. Verser la Sauce au fromage sur les légumes et saupoudrer de fromage râpé. Servir immédiatement.

HARICOTS VERTS À LA PROVENÇALE

4 à 6 portions

Une délicieuse façon de servir les haricots verts, très chauds avec du parmesan râpé.

Faire chauffer l'huile dans une grande poêle à frire, et y faire sauter l'ail et l'oignon environ 3 minutes, jusqu'à ce qu'ils soient amollis. Ajouter le thym, les haricots, les tomates, la pâte de tomate, le bouillon de légumes et le vin, assaisonner de sel et de poivre noir fraîchement moulu, et bien remuer pour mélanger les ingrédients. Couvrir et cuire à feu doux pendant 25 à 30 minutes, jusqu'à ce que les haricots soient tendres. Retirer le couvercle et cuire encore 5 à 8 minutes, en remuant occasionnellement, jusqu'à ce que la sauce ait légèrement épaissi.

Entre-temps, amener une grande casserole d'eau à ébullition, et ajouter les pâtes avec une goutte d'huile d'olive. Cuire environ 10 minutes, en remuant de temps en temps, jusqu'à ce que les pâtes soient tendres. Égoutter les pâtes et les remettre dans la casserole. Incorporer le beurre et le poivre noir fraîchement moulu.

Servir les haricots avec les pâtes chaudes au beurre et du parmesan râpé.

INGRÉDIENTS

2 c. à soupe d'huile d'olive

3 gousses d'ail écrasées

1 oignon haché

3 c. à soupe de thym frais haché

450 g (1 lb) de haricots éboutés

400 g (14 oz) de tomates en
    conserve hachées

50 g (2 oz) de pâte de tomate

250 ml (1 t) de bouillon de légumes

150 ml (¾ t) de vin rouge sec

sel et poivre noir fraîchement moulu

450 g (1 lb) de pâtes sèches
    (de n'importe quelle forme)

25 g (1 oz) de beurre

parmesan frais râpé

PÂTES À LA PAELLA

6 à 8 portions

Amener une grande casserole d'eau à ébullition, et ajouter les farfalle avec le curcuma moulu et une goutte d'huile d'olive. Cuire environ 10 minutes, en remuant de temps en temps, jusqu'à ce que les pâtes soient tendres. Égoutter, conserver le liquide de cuisson, et réserver.

Faire chauffer le reste de l'huile d'olive dans une grande casserole, et faire sauter l'ail et l'oignon environ 3 minutes, jusqu'à ce qu'ils aient amolli. Ajouter le poivron rouge, les carottes et le maïs sucré, et bien mélanger. Cuire 2 à 3 minutes, puis ajouter les pois mange-tout, les pointes d'asperges, les olives noires et les farfalle. Cuire 2 à 3 minutes, puis saupoudrer la farine et l'incorporer au mélange de légumes. Cuire 1 minute, puis incorporer graduellement 425 ml (1¾ t) du liquide des pâtes réservé. Cuire 2 à 3 minutes, jusqu'à ce que la sauce bouillonne et épaississe. Servir dans des assiettes individuelles ou dans un plat de service.

INGRÉDIENTS

450 g (2 t / 1 lb) de farfalle secs (boucles)

1 c. à thé de curcuma moulu

1 goutte plus 3 c. à soupe d'huile d'olive

2 gousses d'ail écrasées

1 oignon espagnol

1 poivron rouge, épépiné et haché

100 g (4 oz) de mini-carottes

100 g (4 oz) de mini-maïs sucrés

100 g (4 oz) de pois mange-tout

100 g (4 oz) de pointes d'asperges fraîches

75 g (3 oz) d'olives noires

15 g (½ oz) de farine sans levure

LASAGNE AUX ÉPINARDS ET AUX CHAMPIGNONS

6 portions

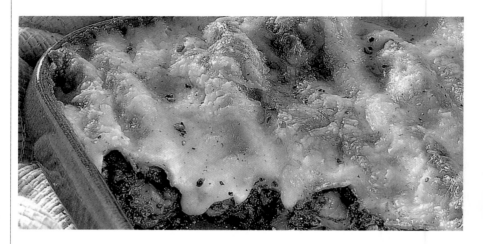

INGRÉDIENTS

beurre, pour graisser

220 g (1 t / 8 oz) de lasagnes fraîches

½ recette de Sauce au fromage (page 111)

50 g (2 oz) de parmesan frais râpé

Pour la garniture

30 ml (2 c. à soupe) d'huile d'olive

2 gousses d'ail écrasées

1 oignon haché

225 g (8 oz) de champignons tranchés

675 g (1 ½ lb) d'épinards surgelés
décongelés, bien égouttés

1 bonne pincée de muscade
fraîchement râpée

450 g (1 lb) de fromage à pâte molle
riche en matières grasses

sel et poivre noir fraîchement moulu

Préparée à l'avance et mise au four avant l'arrivée des invités, la lasagne est un plat parfait pour les réceptions. Vous pouvez vous détendre et profiter de la compagnie de vos invités pendant que le souper se fait tout seul.

Préparer d'abord la garniture. Faire chauffer l'huile d'olive dans une grande poêle à frire, et faire sauter l'ail et l'oignon environ 3 minutes. Ajouter les champignons, et continuer la cuisson pendant environ 5 minutes, en remuant de temps en temps. Ajouter les épinards et la muscade, et cuire environ 5 minutes, puis incorporer le fromage à pâte molle et assaisonner de sel et de poivre noir fraîchement moulu. Cuire 3 à 4 minutes, jusqu'à ce que le fromage ait fondu et soit bien incorporé au mélange d'épinards. Préchauffer le four à 200 °C.

Pour assembler la lasagne, graisser un plat à lasagne, et disposer une couche de lasagnes au fond. Disposer uniformément quelques cuillerées du mélange aux épinards sur celles-ci, puis ajouter une autre couche de lasagnes. Continuer d'alterner les couches de pâtes et du mélange aux épinards jusqu'à épuisement des quantités, puis verser la Sauce au fromage uniformément sur le dessus.

Saupoudrer la lasagne de parmesan, et cuire au four environ 40 minutes, ou jusqu'à ce que le dessus soit doré et bouillonnant.

LÉGUMES VERTS ET VERMICELLES

4 à 6 portions

INGRÉDIENTS

350 g (1½ t / 12 oz) de vermicelles secs
1 goutte d'huile d'olive
25 g (1 oz) de beurre
350 g (12 oz) de pois mange-tout,
    tranchés dans le sens de la longueur
225 g (8 oz) de courgettes, tranchées
    dans le sens de la longueur
75 g (3 oz) d'olives farcies tranchées
sel et poivre noir fraîchement moulu
2 c. à soupe de persil frais haché
2 c. à soupe de menthe fraîche hachée
jus de lime fraîchement pressé

Garniture

herbes fraîches
quartiers de lime

Une recette d'été succulente à manger chaude ou froide, avec des tranches de pain croûté.

Amener une grande casserole d'eau à ébullition, et ajouter les vermicelles et une goutte d'huile d'olive. Cuire environ 5 minutes, en remuant de temps en temps, jusqu'à ce que les vermicelles soient tendres. Égoutter et réserver.

Faire fondre le beurre dans une grande poêle à frire, et faire sauter les pois mange-tout tranchés et les courgettes environ 5 minutes, en remuant de temps en temps.

Ajouter le reste des ingrédients, sauf le jus de lime, au mélange de légumes et cuire encore 5 minutes, en remuant occasionnellement. Incorporer les vermicelles et cuire 2 à 3 minutes, jusqu'à ce que ceux-ci soient chauds. Presser la lime fraîche sur le mélange, garnir d'herbes fraîches et de quartiers de lime, et servir.

ZUCCHINIS FARCIS

4 - 6 portions

Un délicieux mélange de zucchinis tendres et de coriandre fraîche avec un peu de sauce de soja sucrée. Vous pouvez préparer la farce et la sauce une journée à l'avance. Réchauffez la sauce pendant que les zucchinis cuisent.

Amener une grande casserole d'eau à ébullition, et ajouter les vermicelles et une goutte d'huile d'olive. Cuire environ 5 minutes, en remuant de temps en temps, jusqu'à ce que les vermicelles soient tendres. Égoutter et réserver.

Couper une mince tranche du dessus des zucchinis dans le sens de la longueur, et hacher ces tranches finement. À l'aide d'une cuillère, retirer la chair du milieu des zucchinis et la hacher grossièrement. Disposer les zucchinis évidés dans un plat allant au four et réserver. Préchauffer le four à 200 °C.

Pour faire la farce, mettre la sauce de soja sucrée et l'ail dans une grande poêle à frire et chauffer à feu doux. Cuire environ

1 minute, puis ajouter les champignons. Cuire environ 5 minutes, en remuant occasionnellement, puis ajouter la coriandre. Cuire encore 2 à 3 minutes, puis incorporer les noix hachées et assaisonner au goût de sel et de poivre noir fraîchement moulu. Laisser mijoter 1 à 2 minutes, puis ajouter les vermicelles cuits.

Retirer du feu et, à l'aide d'une cuillère à thé, farcir les zucchinis du mélange aux champignons ; disposer l'excédent autour des zucchinis dans le plat. Couvrir le plat de papier d'aluminium et cuire au four 25 à 30 minutes, ou jusqu'à ce que les zucchinis soient tendres.

Entre-temps, pour préparer la sauce, mettre tous les ingrédients dans un robot culinaire ou un mélangeur, et les réduire en purée. Verser le mélange dans une petite casserole et le faire chauffer à feu doux. Retirer les zucchinis farcis du four, garnir de noix hachées et servir avec la sauce à la coriandre.

INGRÉDIENTS

100 g (½ t / 4 oz) de vermicelles secs cassés en petits morceaux

1 goutte d'huile d'olive

4 zucchinis moyens

noix finement hachées, pour garnir

Pour la farce

150 ml (⅔ t) de sauce de soja sucrée

1 gousse d'ail écrasée

50 g (2 oz) de champignons hachés fin

3 c. à soupe de coriandre fraîche hachée

25 g (1 oz) de noix écalées

sel et poivre noir fraîchement moulu

Pour la sauce

4 c. à soupe d'huile d'olive

2 gousses d'ail écrasées

25 g (1 oz) de coriandre fraîche hachée

sel et poivre noir fraîchement moulu

3 c. à soupe de bouillon de légumes

GNOCCHETTI SARDI AU BROCOLI ET AUX TOMATES

4 portions

INGRÉDIENTS

350 g (1½ t / 12 oz) de gnocchetti sardi
   (pâtes courtes en forme de quenelles)
1 goutte d'huile d'olive
75 g (3 oz) de beurre non salé
350 g (12 oz) de petits bouquets de brocoli
1 gousse d'ail hachée
2 c. à thé de romarin frais haché
2 c. à thé d'origan frais haché
sel et poivre noir fraîchement moulu
200 g (7 oz) de tomates en conserve hachées
1 c. à soupe de pâte de tomate
herbes fraîches, pour garnir

Un repas léger ou un plat de résistance délicieux. Choisissez des bouquets de brocolis bien fournis et d'un vert éclatant, et faites-les cuire le moins longtemps possible pour qu'ils conservent leur couleur et demeurent croquants.

Amener une grande casserole d'eau à ébullition, et ajouter les gnocchetti sardi et une goutte d'huile d'olive. Cuire environ 6 minutes, en remuant de temps en temps, jusqu'à ce que les pâtes soient tendres. Égoutter et remettre dans la casserole ; couvrir et garder chaud.

Entre-temps, faire fondre le beurre dans une grande poêle à frire. Ajouter le brocoli, l'ail, le romarin et l'origan, et assaisonner de sel et de poivre noir fraîchement moulu. Couvrir et cuire à feu doux environ 5 minutes, ou jusqu'à ce que le brocoli soit tendre.

Ajouter les tomates hachées et la pâte de tomate, et remuer. Ajouter les gnocchetti sardi, mélanger légèrement, garnir d'herbes fraîches, et servir immédiatement.

SALADE DE TOMATES ET DE PÂTES

6 à 8 portions

INGRÉDIENTS

550 g (1 ¼ lb) d'orecchiette frais (oreilles)

1 goutte d'huile d'olive

450 g (1 lb) de tomates rouges
   et jaunes hachées

1 morceau de concombre de
   15 cm (6 po) haché

175 g (6 oz) de feta en morceaux

5 c. à soupe de coriandre fraîche hachée

2 c. à soupe de basilic frais haché

Pour la vinaigrette

15 ml (1 c. à soupe) de vinaigre de vin blanc

60 ml (4 c. à soupe) d'huile d'olive

2 gousses d'ail écrasées

sel et poivre noir fraîchement moulu

Garniture

tomates cerises

feuilles de coriandre fraîche

Les orecchiette sont de petites pâtes en forme d'oreilles. Si vous n'en trouvez pas, les pâtes en forme de gnocchi (quenelles) feront aussi bien l'affaire.

Amener une grande casserole d'eau à ébullition, et ajouter les orecchiette et une goutte d'huile d'olive. Cuire environ 5 minutes, en remuant de temps en temps, jusqu'à ce que les pâtes soient tendres. Égoutter et rincer à l'eau froide. Égoutter de nouveau et réserver.

Mettre les orecchiette dans un grand bol à mélanger, et ajouter le reste des ingrédients de la salade. Bien mélanger. Pour faire la vinaigrette, mettre tous les ingrédients dans un pot muni d'un couvercle, et agiter vigoureusement. Verser la vinaigrette sur la salade et touiller pour bien enrober. Garnir de tomates cerises et de feuilles de coriandre.

RAVIOLIS AUX ASPERGES À LA SAUCE TOMATE

6 portions

Voici un plat de réception qui peut être préparé à l'avance : les raviolis peuvent même être congelés plusieurs semaines avant la fête et passer directement du congélateur à la casserole. La sauce peut être préparée plusieurs heures à l'avance et être réchauffée avant le moment de servir.

Garder la pâte fraîche couverte d'une pellicule plastique à la température de la pièce et la sauce tomate dans une casserole, prête à réchauffer avant de servir.

Pour préparer la farce, faire chauffer l'huile d'olive dans une poêle à frire, et faire sauter l'ail et l'oignon environ 3 minutes, jusqu'à ce que l'oignon ait amolli. Ajouter les asperges fraîches hachées, et assaisonner de sel et de poivre noir fraîchement moulu. Faire sauter le mélange aux asperges environ 10 minutes, jusqu'à ce que les asperges soient tendres. Réserver et laisser refroidir.

Pour préparer les raviolis, couper la pâte en deux. En rouler la moitié de manière à obtenir un rectangle un peu plus grand que 35 x 25 cm (14 x 10 po). Couper les bords. Couvrir le rectangle d'une pellicule plastique pour éviter qu'il ne sèche. Rouler l'autre moitié de la pâte dans les mêmes dimensions. Ne pas tailler les bords.

Mettre des demi-cuillerées à thé de farce, espacées d'environ 2 cm (¾ po), en lignes droites sur le premier rectangle de pâte. Badigeonner légèrement la pâte de blancs d'œufs battus en lignes droites autour de la farce, de manière à faire les formes carrées des raviolis.

Disposer l'autre rectangle de pâte sur le dessus et, en commençant à une extrémité, sceller la farce en pressant légèrement la pâte ; faire sortir l'air et aplatir délicatement la farce, de manière à former de petits sachets. À l'aide d'un couteau bien aiguisé ou d'une roulette à pâtisserie, découper des lignes verticales et horizontales autour de la farce pour obtenir les carrés de raviolis.

Pour faire cuire les raviolis, amener une grande casserole d'eau à ébullition, et ajouter les raviolis avec une goutte d'huile d'olive. Cuire environ 6 minutes, en remuant de temps en temps, jusqu'à ce que les raviolis soient tendres. Égoutter et réserver.

Entre-temps, faire réchauffer la Sauce tomate. Servir les raviolis avec la Sauce tomate, et saupoudrer d'herbes fraîches hachées.

INGRÉDIENTS

⅔ d'une recette de Pâte à raviolis (di-dessous) avec 1 c. à soupe de pâte de tomate incorporée dans les œufs

1 recette de Sauce tomate (ci-dessous)

1 œuf battu pour badigeonner

1 goutte d'huile d'olive

herbes fraîches hachées, pour garnir

Pour la farce

30 ml (2 c. à soupe) d'huile d'olive

1 gousse d'ail écrasée

1 oignon finement haché

220 g (8 oz) d'asperges fraîches, très finement hachées

sel et poivre noir fraîchement moulu

Sauce au fromage 600 ml

25 g (1 oz) d'huile d'olive

25 g (1 oz) de farine

500 ml (2 t) de lait chaud

1 c. à thé de moutarde de Dijon

100 g (4 oz) de vieux cheddar râpé

sel et poivre noir fraîchement moulu

Sauce tomate

Comme ci-dessus, mais omettre la moutarde et le fromage et ajouter 3 c. à soupe de pâte de tomate.

Pâte à raviolis 625 g (1 ¼ lb)

300 g (12 oz) de farine

1 c. à soupe de sel

4 c. à soupe d'huile de tournesol

1 c. à soupe d'eau

3 œufs

CHAPITRE 4

SALADES ET PLATS D'ACCOMPAGNEMENT

UNE GAMME D'EXTRAS
SAVOUREUX POUR COMPLÉTER
LE PLAT PRINCIPAL. TOUTES LES
RECETTES DE LA PRÉSENTE
SECTION PEUVENT SE
TRANSFORMER EN UN
DÉLICIEUX REPAS LÉGER.

CAROTTES GLACÉES
À LA CORIANDRE

4 portions

INGRÉDIENTS

550 g (1¼ lb) de carottes épluchées
    et coupées en julienne
4 branches de céleri tranchées mince
jus et zeste de ½ orange
100 ml (½ t) de bouillon de légumes
1 c. à thé de graines de coriandre
    légèrement broyées
sel et poivre noir fraîchement moulu

Garniture

1 c. à soupe de coriandre ou
    de menthe hachée

Il existe une affinité particulière entre les carottes et les oranges, et pas seulement à cause de la couleur. Voici une recette de carottes glacées non grasse, agrémentée de graines de coriandre moulues.

Mettre les carottes, le céleri, le jus et le zeste d'orange, le bouillon et les graines de coriandre dans une casserole, et assaisonner de sel et de poivre. Amener à ébullition et laisser mijoter à feu doux sans couvrir pendant 15 minutes, ou jusqu'à ce que les légumes soient tendres et qu'une bonne partie du liquide ait été absorbée. Éviter que les légumes collent. Au besoin, ajouter un peu de jus d'orange ou de bouillon.

Garnir avec les herbes hachées, et servir très chaud.

TREMPETTE À L'AUBERGINE ET AUX GRAINES DE TOURNESOL

4 portions

INGRÉDIENTS

1 c. à soupe de graines de tournesol

50 g (2 oz) d'aubergine râpée

2 à 3 gousses d'ail écrasées

1 pincée de sel

3 à 4 c. à soupe de lait écrémé

50 g (1¼ t / 2 oz) de yaourt nature maigre

1 c. à thé d'édulcorant artificiel

¼ c. à thé de graines de cumin, écrasées

¼ c. à thé de poivre noir fraîchement moulu

25 g (1 oz) de tomate hachée

quelques feuilles de menthe ou
  1 pincée de menthe séchée

1 pincée de piment en poudre

Mettre les graines de tournesol dans une poêle à fond épais, et chauffer à feu moyen. Remuer les graines sans arrêt à l'aide d'une cuillère de bois, et les faire rôtir pendant 1 minute. Fermer le feu, mais continuer de remuer les graines tandis que la poêle refroidit, puis les laisser refroidir complètement.

Verser 50 ml (¼ t) d'eau dans une petite casserole, avec l'aubergine, l'ail et une pincée de sel. Amener à ébullition. Laisser cuire 2 à 3 minutes, jusqu'à ce que l'aubergine soit tendre. Retirer du feu et laisser refroidir. Battre ensemble le lait et le yaourt dans un bol jusqu'à l'obtention d'une consistance lisse, puis ajouter l'aubergine, le sucre, les graines de cumin et le poivre, et bien mélanger.

Ajouter la tomate et les feuilles de menthe ou la menthe séchée.

Saupoudrer de piment en poudre, et garnir des graines de tournesol au moment de servir.

RIZ AUX PIMENTS ET À L'ANANAS

4 portions

Couper l'ananas en deux dans le sens de la longueur et en retirer la chair. Réserver les deux moitiés. Jeter le cœur, couper le reste de la chair en dés, et réserver.

Faire chauffer l'huile dans une poêle et faire sauter le poivron rouge et les zucchinis pendant 5 minutes, ou jusqu'à ce qu'ils soient tendres. Ajouter les oignons verts, et faire sauter encore 1 minute.

Incorporer le riz et les piments jalapeno, le sel et le poivre et la chair d'ananas réservée.

Cuire à feu doux, en remuant occasionnellement, pendant 5 minutes, ou jusqu'à ce que le mélange soit chaud. Incorporer ensuite les pignons et la coriandre. Disposer le mélange dans les coquilles d'ananas, et servir avec du fromage allégé râpé.

INGRÉDIENTS

1 gros ananas frais (ou 2 moyens)

2 c. à soupe d'huile de tournesol

1 poivron rouge, épépiné et haché

220 g (8 oz) de zucchinis, parés et coupés en dés

6 oignons verts, parés et tranchés en biais

250 g (1 t / 10 oz) de riz à grain long cuit

6 piments jalapeno marinés, égouttés et hachés

sel et poivre noir fraîchement moulu

2 c. à soupe de pignons rôtis

3 c. à soupe de coriandre fraîche hachée

fromage allégé râpé, pour servir

POMMES DE TERRE AU PAPRIKA DANS UNE SAUCE ÉPICÉE

6 portions

INGRÉDIENTS

900 g (2 lb) de pommes de terre, brossées

sel

1 c. à thé d'huile de tournesol

1 oignon moyen haché

1 gousse d'ail hachée

1 c. à soupe de paprika

250 ml (1 t) de bouillon de légumes

220 g (8 oz) de tomates en conserve, hachées

½ c. à thé de graines de carvi

1 petit poivron vert, évidé, épépiné et haché

poivre noir fraîchement moulu

3 c. à soupe de yaourt nature maigre

Garniture

2 c. à soupe de persil haché

On peut faire cuire les pommes de terre à l'avance et les laisser dans la sauce épicée. Il suffit de les faire réchauffer pendant la cuisson du plat principal.

Faire cuire les pommes de terre dans de l'eau bouillante salée pendant 5 minutes, puis les égoutter. À moins qu'elles soient très petites, couper les pommes de terre en tranches moyennes.

Chauffer l'huile dans une casserole, et faire frire l'oignon et l'ail à feu moyen pendant environ 3 minutes, ou jusqu'à ce que l'oignon soit ramolli. Ajouter le paprika, et cuire 1 minute. Verser le bouillon, et ajouter les tomates (avec le jus), les graines de carvi et le poivron vert. Assaisonner de sel et de poivre, ajouter les pommes de terre, et bien mélanger. Amener à ébullition, et laisser mijoter, sans couvrir, environ 20 minutes, ou jusqu'à ce que les pommes de terre soient tendres et que la sauce ait épaissi.

Incorporer le yaourt, goûter la sauce, et rectifier l'assaisonnement au besoin. Servir très chaud, et garnir de persil.

SALADE DE CHAMPIGNONS, DE POIRES, DE HARICOTS ET DE NOIX

6 portions

INGRÉDIENts

100 g (4 oz) de haricots verts, parés
   et coupés en deux
2 poires mûres, pelées, évidées et tranchées
2 c. à thé de jus de citron
100 g (4 oz) de champignons parés et
   coupés en deux ou tranchés
1 petite laitue feuille-de-chêne rouge,
   lavée, égouttée et
   déchirée en petits morceaux
100 g (½ t / 4 oz) de noix en demies

VINAIGRETTE

1 c. à soupe d'huile de tournesol
2 c. à soupe de yaourt nature maigre
1 c. à soupe de miel clair
sel et poivre noir fraîchement moulu

Cette salade mixte de fruits, de légumes et de noix, avec sa vinaigrette aigre-douce, accompagne à merveille un plat simple, mais elle peut très bien être servie seule comme plat principal.

Faire cuire les haricots verts dans l'eau bouillante pendant 2 minutes, puis les égoutter à l'aide d'une passoire. Verser de l'eau froide sur les haricots pour arrêter la cuisson, puis les égoutter à nouveau.

Arroser les tranches de poires de jus de citron, puis les mélanger dans un bol avec les haricots, les champignons, la laitue et les noix.

Mélanger les ingrédients de la vinaigrette, verser sur la salade, et touiller soigneusement. Servir.

INGRÉDIENTS

2 c. à soupe d'huile végétale

1 oignon coupé en deux et tranché mince

2 pommes de dessert, pelées, évidées
   et tranchées mince

1 chou rouge, d'environ 650 g (1 ½ lb),
   coupé en quartiers, le cœur enlevé
   et coupé en lanières

50 ml (¼ t) de vinaigre de vin rouge

2 à 3 c. à soupe de cassonade pâle

100 ml (½ t) de bouillon de légumes ou d'eau

sel et poivre noir fraîchement moulu

CHOU ROUGE AIGRE-DOUX

6 portions

Le chou est un ingrédient important dans plusieurs cuisines, surtout en Russie et en Europe centrale. Ce plat de chou rouge aigre-doux est également délicieux froid. Si vous souhaitez préparer la version au chou vert, utilisez du vinaigre de vin blanc ou du jus de citron et du sucre blanc.

Dans une grande casserole à fond épais, pas en aluminium, faire chauffer l'huile à feu moyen. Ajouter l'oignon, et cuire jusqu'à ce qu'il soit tendre et doré, environ 5 à 7 minutes. Ajouter les tranches de pommes, et cuire jusqu'à ce que celles-ci commencent à brunir, environ 2 à 3 minutes.

Ajouter le chou et les autres ingrédients. Couvrir et laisser mijoter environ 30 à 40 minutes, jusqu'à ce que le chou soit tendre. Remuer de temps en temps et ajouter de l'eau si nécessaire. Découvrir et cuire jusqu'à ce que le liquide soit absorbé. Verser dans un bol à servir.

SALADE DE CAROTTES À LA MAROCAINE

4 portions

Voici une salade du Moyen-Orient très populaire en Israël. Elle est sucrée et épicée, et elle est très colorée. On peut utiliser des carottes râpées, mais dans la préparation traditionnelle les carottes sont d'abord cuites.

Râper les carottes à la main ou dans un robot culinaire muni d'une lame à râper, et les mettre dans un grand bol. Réserver.

Faire chauffer l'huile dans une poêle moyenne, à feu moyen. Ajouter l'ail haché et cuire jusqu'à ce qu'il commence à ramollir et à brunir, environ 2 à 3 minutes.

Ajouter le sel, le cumin, les flocons de piment rouge, le poivre de Cayenne ou la sauce au piment et le sucre, et bien mélanger.

Incorporer le persil haché et le jus de citron. Verser lentement 100 ml (½ t) du liquide de cuisson des carottes. Amener à ébullition, et laisser mijoter 3 à 5 minutes. Verser le mélange sur les carottes. Laisser refroidir à la température ambiante.

Couvrir et réfrigérer 6 à 8 heures, ou toute la nuit. Placer dans un bol à servir et garnir de brins de persil.

INGRÉDIENTS

450 g (1 lb) de carottes, pelées et
    cuites jusqu'à ce qu'elles soient tendres
    (réserver l'eau de cuisson)
2 c. à soupe d'huile végétale
2 gousses d'ail, pelées et finement hachées
1 c. à thé de sel
1½ c. à thé de cumin
½ c. à thé de flocons de piment rouge, de
    poivre de Cayenne ou de sauce au piment
1 c. à thé de sucre
2 à 3 c. à soupe de persil frais haché
3 à 4 c. à soupe de jus de citron

Garniture

brins de persil frais

HARICOTS BLANCS À LA SAUCE TOMATE ET À L'OIGNON

4 portions

INGRÉDIENTS

220 g (8 oz) de petits haricots ronds blancs,
   trempés toute la nuit et égouttés

3 c. à soupe d'huile d'olive vierge

3 gousses d'ail finement hachées

3 c. à soupe de persil haché

1 c. à soupe de thym et de romarin
   mélangés hachés

1 feuille de laurier

1 pincée d'origan séché

¼ à ½ c. à thé de flocons de piment
   rouge écrasés

200 ml (1 t) d'eau

2 grosses tomates pelées, épépinées
   et coupées en dés

sel et poivre noir fraîchement moulu

¼ d'oignon espagnol, haché très fin

coriandre ou persil finement haché,
   pour servir

Cette recette se distingue des autres recettes de haricots à la sauce tomate par l'ajout d'oignon haché fin et de coriandre ou de persil haché à chaque portion, au moment de servir. Cela donne beaucoup de goût au plat, mais il est important de choisir un oignon doux.

Mettre les haricots dans une casserole, et les couvrir d'eau. Faire bouillir pendant 10 minutes, puis laisser mijoter environ 50 minutes, ou jusqu'à ce que les haricots soient tendres.

Faire chauffer l'huile, l'ail, les herbes et le piment écrasé à feu doux pendant 4 minutes. Ajouter l'eau, amener à ébullition, puis couvrir et laisser mijoter 5 minutes. Ajouter les tomates, couvrir de nouveau, et laisser mijoter 4 minutes.

Égoutter les haricots, et incorporer le mélange aux tomates délicatement. Assaisonner, et laisser mijoter 4 à 5 minutes.

Servir les haricots à l'aide d'une louche dans quatre assiettes chaudes, et garnir chaque portion d'oignon et de coriandre ou de persil.

BETTERAVES CHAUDES À LA SAUCE AU YAOURT ET À LA MOUTARDE

4 portions

INGRÉDIENTS

450 g (1 lb) de petites betteraves,
   parées et brossées
sel
100 g (½ t / 4 oz) de yaourt nature maigre
1 c. à thé de fécule de maïs
2 c. à thé de moutarde à l'ancienne
1 gousse d'ail hachée
1 c. à soupe de menthe hachée
poivre noir fraîchement moulu

Garniture
2 oignons verts parés et tranchés mince

Les betteraves, qui sont populaires en salade dans de nombreux pays, sont également délicieuses comme légume d'accompagnement. Ce plat est originaire du Moyen-Orient.

Faire cuire les betteraves dans l'eau bouillante salée pendant 30 minutes, ou jusqu'à ce qu'elles soient tendres. Les égoutter, et les peler dès qu'elles ont suffisamment refroidi pour être manipulées. Si les légumes sont très petits, les laisser entiers ; les plus gros peuvent être tranchés ou coupés en dés.

Mélanger le yaourt avec la fécule de maïs, et mettre le mélange dans une casserole avec la moutarde et l'ail.

Chauffer doucement, et ajouter les betteraves. Quand les betteraves sont très chaudes, ajouter la menthe et le poivre. Servir chaud dans un plat chaud, et garnir de tranches d'oignons verts.

LÉGUMES TEMPURA
À LA JAPONAISE

6 portions

Ce mets japonais croustillant vous permettra de maximiser la couleur et la texture de divers légumes. Il peut compléter agréablement des plats cuits au four ou braisés. Vous pouvez également le servir comme plat principal avec du riz brun.

Préparer d'abord la sauce. Mettre le gingembre, la sauce de soja et le miel dans un plat à servir ignifuge, ajouter l'eau bouillante, et bien mélanger. Laisser refroidir.

Pour préparer la pâte, mélanger les ingrédients secs dans un bol, et incorporer graduellement l'eau, en battant constamment.

Enrober les légumes de farine ; enlever l'excès. Faire chauffer l'huile dans un wok ou une poêle profonde.

À l'aide d'une cuillère à égoutter, plonger les légumes dans la pâte, quelques-uns à la fois, et laisser égoutter l'excès de pâte dans le bol. Faire frire les légumes par petites quantités, jusqu'à ce qu'ils soient uniformément brun doré. Faire chauffer de nouveau l'huile entre les cuissons.

Retirer les légumes, et les mettre sur des essuie-tout pour éponger l'excès d'huile. Servir immédiatement avec la sauce dans un plat séparé.

INGRÉDIENTS

Sauce

1 morceau de gingembre frais de 5 cm (2 po), pelé et râpé

2 c. à soupe de sauce de soja

1 c. à thé de miel clair

100 ml (½ t) d'eau bouillante

Légumes

300 g (1½ t / 12 oz) de chou-fleur en bouquets

2 grosses carottes, pelées et coupées en julienne

1 gros oignon, tranché en rondelles

1 poivron rouge, évidé, épépiné et tranché

100 g (4 oz) de champignons, parés et coupés en deux

farine, pour enrober

huile de tournesol, pour la friture

Pâte

1 t (250 g) de farine de blé entier ou plus

2 c. à soupe de semoule de maïs

2 c. à soupe d'arrow-root

200 ml (1 t) d'eau

INGRÉDIENTS

75 g (3 oz) de champignons portobello

75 g (3 oz) de pleurotes

75 g (3 oz) de champignons shiitake

4 c. à soupe de bouillon de légumes

2 gousses d'ail finement hachées

1 c. à soupe de sauce de soja

1 c. à soupe de persil ou de thym frais haché

poivre noir fraîchement moulu

TRIO DE CHAMPIGNONS FRITS

4 portions

Voilà un plat très simple, et pourtant délicieux. Il se compose de trois variétés de champignons cuits avec de l'ail et de la sauce de soja.

Éplucher les champignons portobello et les trancher mince. Mettre tous les champignons dans une poêle à frire avec le bouillon, l'ail, la sauce de soja et la moitié des herbes. Cuire en remuant pendant 3 à 4 minutes. Saupoudrer du reste des herbes, et servir immédiatement.

BETTERVAVES AU RAIFORT

4 portions

Ce délicieux plat d'accompagnement peut également être servi avec des blinis.

Faire chauffer l'huile et faire frire les oignons pendant 10 minutes, jusqu'à ce qu'ils soient bien cuits et commencent à brunir. Ajouter les betteraves, assaisonner, et faire frire encore 5 minutes, pour que les betteraves s'attendrissent et prennent la saveur de l'oignon. Incorporer l'aneth, et mettre le tout dans un plat à servir.

Mélanger la sauce au raifort et la crème sûre, et verser le mélange sur les betteraves. Servir immédiatement les légumes à la cuillère et garnir chaque portion de crème au raifort.

INGRÉDIENTS

4 c. à soupe d'huile

2 oignons, coupés en deux et
   tranchés mince

450 g (1 lb) de betteraves cuites,
   coupées en petits cubes

sel et poivre noir fraîchement moulu

1 c. à soupe d'aneth frais haché

1 c. à soupe de sauce au raifort

100 ml (½ t) de crème sûre

BEIGNETS DE ZUCCHINIS

4 portions

Laver et parer les zucchinis. Les couper en deux, puis en quatre dans le sens de la longueur.

Préparer la pâte en battant ensemble les œufs, le poivre de Cayenne, l'origan et le sel. Bien mélanger.

Faire chauffer l'huile dans une poêle à frire.

Plonger les morceaux de zucchinis dans la pâte, et les faire frire jusqu'à ce qu'ils soient croustillants à l'extérieur et tendres à l'intérieur. Les tourner une fois. Égoutter sur des essuie-tout, et servir très chaud.

VARIANTE

On peut aussi faire cuire des aubergines, en tranches de 5 mm (¼ po) d'épaisseur, de cette façon.

INGRÉDIENTS

450 g (1 lb) de petits zucchinis, d'au plus 2,5 cm (1 po) d'épaisseur

2 œufs

1 pincée de poivre de Cayenne

1 c. à thé d'origan séché

1 pincée de sel

huile à friture

INGRÉDIENTS

350 g (12 oz) de couscous précuit

100 g (4 oz) d'abricots séchés, prêts
   à manger, tranchés en languettes

sel et poivre noir fraîchement moulu

200 g (1 t / 8 oz) d'amandes émondées,
   légèrement rôties

coriandre fraîche hachée, pour servir

beurre ou huile d'olive, pour servir, facultatif

COUSCOUS AUX ABRICOTS SÉCHÉS ET AUX AMANDES

8 portions

Mettre le couscous dans un bol, et couvrir de 500 ml (2 t) d'eau. Laisser reposer environ 30 minutes, ou jusqu'à ce que l'eau soit presque toute absorbée ; remuer fréquemment avec une fourchette pour que les grains ne collent pas. Incorporer les abricots et l'assaisonnement dans le couscous, puis verser le tout dans une étuveuse ou une passoire en métal tapissée d'étamine. Déposer l'étuveuse ou la passoire au-dessus d'une casserole d'eau bouillante, couvrir hermétiquement de papier d'aluminium, et cuire à la vapeur environ 20 minutes, jusqu'à ce que le couscous soit très chaud. Incorporer les amandes, la coriandre et le beurre ou l'huile, au goût.

CHOU-FLEUR AUX HERBES

4 portions

Le chou-fleur est traditionnellement gratiné dans une riche sauce au fromage. Cette version à faible teneur en gras, avec sa sauce au vin et aux herbes, est tout aussi délicieuse.

Parer les choux-fleurs et les mettre dans une grande casserole avec la menthe et le bouillon. Les faire cuire à feu doux pendant 10 minutes. Entre-temps, mettre le bouillon pour la sauce, le lait et le vin blanc dans une casserole. Mélanger la fécule de maïs avec 4 cuillerées à soupe d'eau froide, et verser le mélange dans la casserole. Amener à ébullition, remuer et ajouter les herbes. Assaisonner et laisser mijoter 2 ou 3 minutes.

Égoutter les choux-fleurs, et les mettre dans un plat qui résiste à la chaleur. Verser la sauce sur les choux-fleurs, et garnir de fromage. Faire griller 2 ou 3 minutes, jusqu'à ce que le fromage ait fondu. Servir immédiatement.

INGRÉDIENTS

4 petits choux-fleurs

2 brins de menthe

1 l (4 t) de bouillon de légumes

50 g (2 oz) de fromage, râpé en filaments

Pour la sauce

125 ml (½ t) de bouillon de légumes

300 ml (1¼ t) de lait écrémé

100 ml (½ t) de vin blanc sec

2 c. à soupe de fécule de maïs

1 c. à soupe de persil frais haché

1 c. à soupe de coriandre fraîche hachée

1 c. à soupe de thym frais haché

poivre noir fraîchement moulu

MOZZARELLA FUMÉE À LA ROQUETTE ET AU CRESSON

4 portions

Le mélange piquant de roquette et de cresson se marie délicieusement avec la mozzarella légèrement fumée dans cette sauce. Servez-la avec des pâtes cuites, comme des spirales, des coudes, des rigatoni, des plumes ou des coquilles.

Faire chauffer l'huile dans une petite casserole. Ajouter l'ail, le poivron rouge et les olives. Faire cuire 2 minutes, puis ajouter le cresson et la roquette, et remuer jusqu'à ce que les feuilles ramollissent.

Retirer la casserole du feu, incorporer la mozzarella, et assaisonner au goût. Verser la sauce sur des pâtes fraîchement cuites, et servir immédiatement.

INGRÉDIENTS

2 c. à soupe d'huile d'olive

1 gousse d'ail hachée

½ poivron rouge, épépiné et coupé en dés

4 olives noires, tranchées mince

1 botte de cresson, feuilles seulement, grossièrement hachées

6 feuilles de roquette, en lanières

225 g (8 oz) de mozzarella fumée, coupée en dés

sel et poivre noir fraîchement moulu

INGRÉDIENTS

2 c. à thé de fécule de maïs

2 c. à soupe de sauce de soja

1 c. à soupe de xérès sec

2 c. à soupe d'huile d'olive

1 c. à thé d'huile de sésame

1 branche de céleri, coupée en fins
bâtonnets

1 poivron vert, évidé, épépiné et coupé
en fins bâtonnets

½ oignon, tranché mince

350 g (12 oz) de germes de soja

GERMES DE SOJA À L'ORIENTALE

4 portions

Les germes de soja sont le principal ingrédient du chop soui. Cependant, le mélange de légumes peut être modifié selon la saison ou le contenu de votre réfrigérateur.

Mélanger la fécule de maïs avec la sauce de soja, le xérès et 2 c. à soupe d'eau ; réserver.

Faire chauffer les huiles ensemble, puis faire sauter le céleri, le poivron et l'oignon pendant 5 minutes. Les légumes doivent être légèrement cuits et encore croquants. Ajouter les germes de soja, et faire sauter 1 minute. Remuer le mélange à la fécule de maïs, le verser dans la casserole, et amener les liquides à ébullition, sans cesser de remuer. Cuire pendant 2 minutes, en remuant, puis servir immédiatement.

SALADE DE RIZ AU SAFRAN ET AUX AMANDES

6 portions

Mettre le riz, l'eau, le sel et l'infusion de safran dans une casserole, amener à ébullition et laisser mijoter, couvert, jusqu'à ce que l'eau soit absorbée et que le riz soit tendre, environ 20 à 25 minutes. Retirer du feu.

Mélanger la moutarde, le vinaigre, l'huile et le sucre, et incorporer le mélange au riz chaud. Réfrigérer.

Juste avant de servir, faire rôtir les amandes sous le gril à feu moyen ; agiter de temps en temps, jusqu'à ce que les amandes soient légèrement brunies. Incorporer les amandes au riz froid, avec les piments le cas échéant. Servir immédiatement. (Quand la salade est préparée trop à l'avance, les amandes perdent leur croquant.)

INGRÉDIENTS

450 g (2 t / 1 lb) de riz à grain long

600 ml (2½ t) d'eau

1 bonne pincée de sel

½ c. à thé de safran infusé ½ heure dans 2 c. à soupe d'eau chaude

½ c. à thé de moutarde anglaise

1 c. à soupe de vinaigre blanc

3 c. à soupe d'huile d'olive

1 c. à thé de sucre

200 g (4 oz) d'amandes émondées

1 à 2 piments rouges frais, épépinés, rincés et tranchés mince (facultatif)

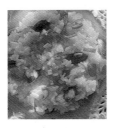

INGRÉDIENTS

350 g (14 oz) d'épinard frais ou congelés

225 g (8 oz) de pommes de terre

2 c. à soupe d'huile

¼ c. à thé de graines de fenugrec

½ c. à thé de graines de cumin

1 tomate hachée

¼ c. à thé de curcuma

½ c. à thé de poudre de Chili

sel au goût

POMMES DE TERRE ET ÉPINARDS

4 portions

Voici un des Bhajis les plus populaires, surtout quand on remplace 50 g (2 oz) d'épinards par des feuilles de fenugrec frais. Utiliser les feuilles seulement.

Si vous utilisez des épinards frais, retirez les tiges et hachez les feuilles avant de les peser. Lavez soigneusement les épinards, et égouttez-les dans une passoire. Si vous utilisez des épinards surcongelés, faites-les dégeler, et égouttez-les dans une passoire.

Bien brosser les pommes de terre ; ne pas les peler. Couper les pommes de terre en quartiers, puis couper chaque quartier en 2 ou plusieurs morceaux, de manière à obtenir de 8 à 12 morceaux par pomme de terre. Faire chauffer l'huile dans une casserole épaisse de grosseur moyenne, et faire frire les graines de fenugrec et de cumin. Quand les graines commencent à grésiller, ajouter la tomate, le curcuma, la piment en poudre et le sel. Mélanger et cuire pendant une demi-minute. Ajouter les épinards et les pommes de terre, et bien mélanger de manière à ce que les légumes soient bien enrobés du mélange d'épices.

Couvrir la casserole, et laisser mijoter 15 à 20 minutes. S'il reste du liquide après ce temps, retirer le couvercle et continuer la cuisson à feu moyen ou élevé pendant quelques minutes pour le faire évaporer, en évitant de laisser brûler les pommes de terre.

POMMES DE TERRE À LA CORIANDRE

4 portions

La coriandre convient à merveille aux pommes de terre nouvelles. Elle complète parfaitement leur goût frais et sucré.

Faire cuire les pommes de terre dans de l'eau bouillante légèrement salée pendant 10 à 15 minutes, ou jusqu'à ce qu'elles soient tendres. Égoutter. Mélanger le sucre et le jus de citron, jusqu'à ce que le sucre se dissolve complètement.

Faire chauffer l'huile et faire sauter la coriandre 2 minutes. Ajouter le quartier de citron, et continuer la cuisson encore une minute ; presser le citron pour en extraire la saveur. Mettre les pommes de terre dans la casserole, et les faire sauter environ 10 minutes, ou jusqu'à ce qu'elles commencent à brunir à l'extérieur.

Verser le jus de citron sucré sur les pommes de terre, et bien mélanger avec l'huile dans la casserole, pour que les liquides se mêlent de manière à former une sauce très chaude. Ajouter la ciboulette, vérifier l'assaisonnement, et servir immédiatement.

INGRÉDIENTS

900 g (2 lb) de pommes de terre nouvelles, brossées et bouillies

sel et poivre noir fraîchement moulu

2 c. à thé de sucre extrafin

2 c. à soupe de jus de citron

4 c. à soupe d'huile d'olive

3 c. à soupe de graines de coriandre écrasées

1 quartier de citron

4 c. à soupe de ciboulette ciselée

INGRÉDIENTS

100 g (4 oz) de chou-fleur

100 g (4 oz) de haricots verts

100 g (4 oz) de poivrons rouge et vert

3 c. à soupe d'huile

3 à 4 piments de Chili entiers séchés,
  grossièrement broyés

1 c. à thé de graines de cumin

¼ c. à thé de curcuma

½ c. à thé de sel

100 g (4 oz) de carottes

2 tomates hachées

2 c. à thé de gingembre haché

3 à 4 grosses gousses d'ail, hachées
  ou écrasées

1 piment de Chili vert, épépiné et haché

2 à 3 c. à soupe de coriandre fraîche hachée

LÉGUMES À L'INDIENNE

4 portions

Couper le chou-fleur en petits bouquets.
Parer les haricots verts, et couper chacun en 3 ou 4 morceaux

Couper les poivrons vert et rouge en petits carrés.

Brosser les carottes, et les couper en dés.

Faire chauffer l'huile dans une casserole épaisse de grosseur moyenne, puis ajouter les piments rouges entiers séchés, et les écraser dans la casserole. Ajouter les graines de cumin. Quand celles-ci commencent à grésiller, ajouter le curcuma et le sel. Remuer, puis ajouter les légumes, y compris les tomates. Mélanger, et laisser mijoter 2 minutes.

Ajouter le gingembre, l'ail et le piment vert, et remuer pour bien mélanger le tout.

Puis, baisser le feu, couvrir hermétiquement la casserole, et faire cuire les légumes à la vapeur pendant 12 à 15 minutes.

Ajouter la coriandre hachée, et servir.

INGRÉDIENTS

150 g (6 oz) de chou blanc ferme,
   en lanières

1 petit oignon émincé

2 gousses d'ail hachées

1 c. à soupe d'huile, de préférence d'arachide

1 pincée de piment en poudre

1 morceau de 1 cm (½ po) de gingembre
   frais, pelé et râpé

2 c. à soupe de beurre d'arachides

eau chaude

sel et sucre au goût

150 g (6 oz) de fèves de soja

150 g (6 oz) de concombre,
   pelé et coupé en cubes

½ tasse d'arachides salées (facultatif)

1 piment vert, épépiné et tranché
   mince (facultatif)

GADO-GADO

4 portions

Blanchir le chou dans l'eau bouillante salée pendant 3 minutes par petites quantités, égoutter et laisser refroidir.

Faire frire l'oignon et l'ail dans l'huile jusqu'à ce qu'ils soient légèrement brunis, puis ajouter les épices et faire frire encore une minute.

Baisser le feu, et ajouter le beurre d'arachides et suffisamment d'eau chaude pour obtenir une sauce de consistance crémeuse. Assaisonner au goût.

Mélanger le chou refroidi, les fèves de soja et le concombre, verser la sauce sur le mélange et servir immédiatement. Garnir, au goût, d'arachides et de piment frais.

CITROUILLE AUX POIREAUX

4 portions

La citrouille est excellente quand elle est sautée. Le légume conserve sa forme, mais il est plus tendre.

Faire chauffer l'huile et fondre le beurre, puis ajouter l'ail, les poireaux, la cannelle et les raisins de Smyrne. Faire sauter les poireaux pendant 5 minutes, jusqu'à ce qu'ils soient tendres.

Ajouter la citrouille et l'assaisonnement. Faire sauter jusqu'à ce que les cubes soient tendres, mais pas assez mous pour être réduits en bouillie, ce qui prend de 7 à 10 minutes. Servir immédiatement.

INGRÉDIENTS

2 c. à soupe d'huile

1 noix de beurre

1 gousse d'ail finement hachée

2 poireaux tranchés

2 c. à thé de cannelle moulue

100 g (½ t / 4 oz) de raisins de Smyrne

450 g (1 lb) de chair de citrouille, épépinée et coupée en cubes

sel et poivre noir fraîchement moulu

LÉGUMES AU CURRY

4 à 6 portions

Faire sauter les piments verts et l'ail dans du ghee ou de l'huile avec les épices et le jus de lime ou de citron pendant 5 minutes.

Ajouter les oignons, et faire sauter à feu élevé jusqu'à ce qu'ils commencent à brunir.

Ajouter les légumes, l'eau et l'assaisonnement, et laisser mijoter, sans couvrir, en remuant de temps en temps, jusqu'à ce que la pomme de terre soit cuite et que le liquide soit presque complètement évaporé, environ 20 minutes. Servir très chaud.

INGRÉDIENTS

1 à 2 piments verts, épépinés et hachés

2 gousses d'ail hachées

2 c. à soupe de ghee ou d'huile

1 c. à thé de curcuma moulu

1 c. à soupe de garam masala

1 c. à thé de graines de moutarde écrasées

1 c. à thé de coriandre moulue

2 c. à soupe de jus de lime ou de citron

2 oignons moyens

1 grosse pomme de terre pelée
    et coupée en cubes

450 g (1 lb) de légumes préparés, comme
    des bouquets de chou-fleur ; des haricots
    verts, fils enlevés, et tranchés ; des petits
    pois écossés ; des épinards lavés, sans
    les queues, etc.

2 tomates mûres, pelées et hachées

environ 200 ml (1 t) d'eau

sel, poivre et sucre au goût

INGRÉDIENTS

450 g (1 lb) de haricots verts parés

½ concombre, tranché épais

2 gousses d'ail finement hachées

4 feuilles de menthe

1 c. à soupe de jus de citron

100 ml (½ t) de bouillon de légumes

poivre noir fraîchement moulu

Garniture

zeste de citron

HARICOTS ET CONCOMBRE
À LA MENTHE

4 portions

Le concombre est rarement servi chaud, mais la cuisson avec des haricots et un léger parfum de menthe lui convient à merveille. Un plat inusité, mais délicieux.

Mettre les légumes sur un grand morceau de papier d'aluminium. Relever les côtés du papier autour des légumes, et froncer les bords de manière à former un paquet ouvert. Ajouter le reste des ingrédients, assaisonner, et fermer le dessus du paquet.

Mettre le paquet dans une étuveuse, et cuire pendant 25 minutes, ou jusqu'à ce que les haricots soient tendres. Garnir et servir.

SALADE DE TOMATES
À LA MEXICAINE

4 portions

Épépiner les piments rouges, et les faire tremper dans l'eau froide salée pendant 1 heure. Les rincer et les trancher finement.

Peler les tomates. Les ébouillanter pour détacher la peau, les laisser reposer 1 minute, et les refroidir à l'eau froide. Couper les tomates pelées en deux, et retirer les pépins. Trancher la chair, ou la couper en morceaux.

Incorporer délicatement le reste des ingrédients, assaisonner, et réfrigérer une demi-heure avant de servir.

VARIANTE

Ajouter 220 g (8 oz) de mozzarella ou de feta tranchée ou coupée en cubes et servir comme entrée rafraîchissante ou repas rapide.

INGRÉDIENTS

1 à 2 piments de Chili rouges

3 grosses tomates

3 à 4 oignons verts émincés

1 poignée de coriandre fraîche hachée

1 c. à soupe d'huile d'olive

½ c. à soupe de jus de lime

sel au goût

CHAPITRE 5

DESSERTS

DES DESSERTS ET DES FLANS
QUI FLATTENT LE PALAIS ET
FONDENT DANS LA BOUCHE
POUR TERMINER VOS REPAS
À LA PERFECTION.

I NGRÉDIENTS

450 g (1 lb) de rhubarbe, parée et coupée
  en morceaux de 2,5 cm (1 po)
zeste et jus de 1 orange
1 c. à soupe d'eau
50 g (¼ t / 2 oz) de dattes dénoyautées,
  hachées
2 c. à soupe de miel clair

Garniture

375 g (1½ t) de chapelure de blé entier
100 g (½ t / 4 oz) de flocons d'avoine
4 c. à soupe de margarine polyinsaturée fondue
4 c. à soupe de cassonade pâle non raffinée

RHUBARBE AU FOUR À L'AVOINE

4 portions

Les familles qui aiment les desserts à l'ancienne vont adorer ces fruits à la consistance de caramel, garnie d'un mélange croquant, sain et délicieux.

Préchauffer le four à 180 °C. Mettre la rhubarbe, le jus et le zeste d'orange, l'eau, les dattes et le miel dans un plat de 1,5 l (6 t), qui peut aller au four.

Pour préparer la garniture, mélanger la chapelure, l'avoine, la margarine et la cassonade. En couvrir les fruits. Cuire au four environ 35 minutes, jusqu'à ce que la garniture soit dorée. Servir très chaud.

INGRÉDIENTS

6 pêches
1 bâton de cannelle
½ à ¾ de bouteille de vin rouge
100 g (4 oz) de sucre
cannelle moulue, pour servir

PÊCHES AU VIN ROUGE

6 portions

Durant la récolte des pêches, on trouve de grands bols de ces pêches à la Herdade de Zambujal, un immense domaine sur la Costa Azul où on cultive les pêches.

Préchauffer le four à 180 °C.

Verser de l'eau bouillante sur les pêches, et les laisser reposer environ 30 à 60 secondes ; puis les retirer avec une cuillère à égoutter et enlever la peau. Si la peau s'enlève difficilement, remettre brièvement les pêches dans l'eau.

Serrer les pêches les unes contre les autres dans un plat allant au four. Glisser le bâton de cannelle entre elles, et les couvrir de vin. Saupoudrer de sucre, et cuire au four 40 à 50 minutes, jusqu'à ce que les pêches soient tendres.

Retirer du four et enlever le bâton de cannelle. Laisser les pêches refroidir dans le vin, et les retourner deux ou trois fois.

Saupoudrer légèrement les pêches de cannelle moulue pour servir.

COMPOTE DE MELON ET DE NOIX

6 portions

On mange des versions de cette recette simple de la Grèce à la Géorgie, et de l'Arménie à l'Ouzbékistan.

Mettre les cubes de melon, avec leur jus, dans un bol. Ajouter le miel et remuer les cubes pour les enrober légèrement de miel. Incorporer les noix. Répartir le mélange en portions individuelles.

INGRÉDIENTS

2 petits cantaloups ou melons miel, coupés en deux, épépinés et coupés en cubes
360 ml (1½ t) de miel
150 g (6 oz) de noix hachées

SORBET AU CASSIS

4 portions

INGRÉDIENTS

450 g (I lb) de cassis

4 c. à soupe de miel clair

25 g (I oz) de sucre

120 ml (½ t / 4 oz) d'eau

2 blancs d'œufs

Décoration

feuilles de menthe (facultatif)

Il est pratique de toujours avoir au congélateur un sorbet aux fruits. C'est un dessert de réserve idéal quand on a des convives inattendus ou une réception très animée.

Mettre le cassis, le miel, le sucre et l'eau dans une casserole. Amener lentement à ébullition, en remuant de temps en temps. Laisser mijoter pendant 15 minutes, ou jusqu'à ce que les fruits soient tendres. Laisser refroidir.

Passer les fruits et le jus dans un tamis, et mettre la préparation dans un bac à glaçons en métal ou un contenant en plastique. Couvrir de papier d'aluminium ou d'un couvercle, et mettre au congélateur 1 à 2 heures, jusqu'à ce que le mélange prenne une consistance de purée et commence à figer à l'extérieur.

Battre les blancs d'œufs jusqu'à ce qu'ils soient fermes. Verser la purée de fruits dans un bol glacé et incorporer les blancs d'œufs.

Remettre le mélange dans le contenant, couvrir et faire congeler encore 2 heures, ou jusqu'à l'obtention d'une texture ferme. Remuer le mélange 1 ou 2 fois.

Pour servir, laisser le sorbet ramollir un peu au réfrigérateur environ 30 minutes. Répartir le sorbet dans quatre bols de service, et décorer chaque portion d'une feuille de menthe si désiré.

SORBET À L'ORANGE

6 portions

INGRÉDIENTS

50 g (2 oz) de sucre
zeste râpé et jus de 1 citron
zeste râpé de 3 oranges
500 ml (2 t) de jus d'orange frais, filtré
2 blancs d'œufs, battus jusqu'à
    la formation de pics mous
feuilles de menthe fraîche pour garnir
Cointreau pour servir

Les sorbets et les glaces aux agrumes complètent admirablement n'importe quel repas. L'ajout de blancs d'œufs donne au sorbet une texture très crémeuse. Si vous préférez la texture plus rugueuse des glaçons, omettez les blancs d'œufs. Passer le mélange au robot culinaire contribue à lui donner une texture crémeuse.

Mélanger le sucre, les zestes de citron et d'orange et 1 tasse d'eau dans une casserole épaisse. Amener doucement à ébullition, en remuant jusqu'à ce que le sucre fonde. Cuire 5 minutes ; retirer du feu et réfrigérer 3 à 4 heures, ou toute la nuit.

Incorporer les jus de citron et d'orange au sirop froid, et, si désiré, filtrer le mélange pour obtenir un sorbet velouté.

Si vous utilisez une sorbetière, congelez le mélange selon les instructions du fabricant.

Autrement, mettre le mélange dans un bol de métal et faire congeler 3 à 4 heures, jusqu'à ce qu'il soit à moitié gelé. Verser le mélange à moitié gelé dans un robot culinaire muni d'une lame de métal, et mélanger jusqu'à l'obtention d'une texture légère et crémeuse, environ 30 à 45 secondes. Remettre le mélange dans le bol de métal, et faire congeler encore 1½ heure. Verser de nouveau le mélange dans le robot culinaire, incorporer les blancs d'œufs battus, et mélanger jusqu'à l'obtention d'une texture légère et crémeuse, environ 30 secondes. Faire congeler 3 à 4 heures, jusqu'à ce que le mélange soit complètement ferme.

Laisser ramollir 5 minutes à la température ambiante avant de servir le sorbet dans des bols individuels. Garnir de quelques feuilles de menthe, et faites passer la liqueur, dont chaque convive verse quelques gouttes sur le sorbet.

169

Délice au yaourt

4 portions

Mélanger le yaourt, le zeste d'orange et 2 à 3 c. à soupe de miel, puis répartir le mélange en quatre portions individuelles et réfrigérer.

Faire fondre le beurre, et faire sauter les pistaches et les noix du Brésil avec les raisins secs pendant 3 minutes. Ajouter les poires, et faire sauter encore 3 minutes, ou jusqu'à ce qu'elles soient légèrement cuites.

Incorporer les abricots et le jus d'orange, et amener à ébullition. Laisser bouillir, en remuant, pendant 2 minutes pour faire réduire le jus d'orange.

Incorporer les raisins et le reste du miel (ou au goût) et réchauffer le tout brièvement. Disposer le mélange de fruits et de noix sur le yaourt froid, et servir immédiatement.

Ingrédients

150 g (6 oz) de yaourt maigre

zeste râpé et jus de 1 orange

60 à 120 ml (¼ à ½ t) de miel clair

1 noix de beurre non salé

25 g (1 oz) de pistaches écalées

25 g (1 oz) de noix du Brésil, grossièrement hachées

25 g (1 oz) de raisins secs

2 poires fermes, pelées, évidées et coupées en dés

40 g (1½ oz) d'abricots prêts à manger, tranchés

25 g (1 oz) de raisins sans pépins, coupés en deux

Flans à la crème

6 portions

Une délicieuse version maigre du cœur à la crème français, ce mélange de produits laitiers accompagne à la perfection tous les types de petits fruits.

Égoutter le fromage cottage dans un bol. Incorporer le yaourt.

Verser l'eau dans un petit bol, saupoudrer la gélatine, bien mélanger, et placer le bol dans une casserole d'eau chaude. Laisser reposer 5 minutes, de façon à faire fondre la gélatine. Verser le mélange à la gélatine sur le fromage, et bien battre.

Disposer le fromage dans six moules individuels. Les moules en forme de cœur sont le plus souvent utilisés, mais vous pouvez utiliser des ramequins ou des pots de yaourt couverts de mousseline et renversés. Placer les moules sur un treillis métallique au-dessus d'une assiette, et laisser égoutter au réfrigérateur toute la nuit.

Retourner les moules, et servir bien froid.

Ingrédients

220 g (1 t / 8 oz) de fromage cottage maigre

100 g (½ t / 4 oz) de yaourt nature maigre

3 c. à soupe d'eau chaude

1 c. à soupe de gélatine en poudre

INGRÉDIENTS

1 cantaloup ou melon d'Israël, épépiné,
   tranché en minces quartiers et pelé
3 oranges sans pépins, pelées et divisées
   en quartiers, jus réservé
1 mangue pelée et tranchée mince
24 litchis pelés, ou 450 g (16 oz) de litchis
   en conserve avec leur jus
12 dattes Medjool coupées en deux dans
   le sens de la longueur et dénoyautées
1 grenade, coupée en deux, pépins
   réservés (facultatif)

Garniture

feuilles de menthe fraîche

FRUITS EXOTIQUES TRANCHÉS ET DATTES

6 portions

La salade de fruits a toujours été un dessert populaire. Presque tous les fruits saisonniers sont délicieux servis en tranches ou en morceaux avec leur jus ou avec une purée de fruits. Nous ne proposons pas ici une recette de salade de fruits traditionnelle, mais une sélection de fruits exotiques tranchés, servis ensemble. Le melon d'Israël est très sucré, tout comme le sont les oranges d'Israël. La Californie produit une merveilleuse variété de dattes, les Medjool, que nous recommandons pour cette recette.

Disposer des tranches de melon en éventail sur chacune des 6 assiettes individuelles. Disposer les quartiers d'orange et les tranches de mangue en un motif attrayant sur les tranches de melon.

Disposer uniformément les litchis frais ou en conserve sur les fruits, et arroser du jus réservé de tous les fruits.

Disposer quatre moitiés de dattes sur chaque assiette, et parsemer les fruits de pépins de grenade, au goût. Garnir de feuilles de menthe fraîche, et servir.

Ingrédients

75 g (3 oz) de flocons d'avoine

5 c. à soupe de whisky écossais

3 c. à soupe de miel clair

1 tasse de fromage cottage maigre, égoutté

220 g (8 oz) de yaourt nature maigre

1 c. à thé de zeste d'orange râpé

220 g (8 oz) de mûres équeutées

Décoration

menthe fraîche

Avoine aux mûres et au whisky

4 portions

Mettre l'avoine et le whisky dans un bol, couvrir, et laisser reposer au moins 2 heures, ou toute la nuit, selon ce qui convient le mieux.

Battre ensemble le miel, le fromage et le yaourt, et incorporer le zeste d'orange. Ajouter presque toutes les mûres.

Dans quatre grandes coupes à dessert, disposer des couches de mélange aux fruits et d'avoine. Commencer et finir par le mélange aux fruits. Décorer chaque coupe de quelques mûres réservées et d'une feuille de menthe fraîche. Servir froid.

SOUFFLÉ GLACÉ AU CASSIS

6 portions

Choisissez toujours des fruits charnus et juteux.

Entourer un plat à soufflé de deux épaisseurs de papier aluminium, de manière qu'il dépasse de 5 cm (2 po) le bord du plat. Faire cuire le cassis avec le sucre jusqu'à ce que les fruits soient tendres. Réduire en purée dans un mélangeur, et passer. Laisser refroidir. Fouetter les blancs d'œufs jusqu'à ce qu'ils soient fermes, puis ajouter graduellement le sucre à glacer en continuant de fouetter.

Fouetter la crème, jusqu'à ce qu'elle soit légèrement ferme. Mettre la purée de fruits dans un grand bol, et incorporer graduellement les blancs d'œufs et la crème. Verser le mélange dans le plat à soufflé préparé, égaliser la surface, et réfrigérer plusieurs heures, jusqu'à ce que le mélange soit ferme. Retirer le papier d'aluminium et servir.

INGRÉDIENTS

650 g (1 ½ lb) de baies de cassis équeutées
100 g (½ t / 4 oz) de sucre
2 blancs d'œufs
220 g (1 t / 8 oz) de sucre à glacer tamisé
300 ml (1 ¼ t) de crème à fouetter

GÂTEAU AU FROMAGE AUX BLEUETS

6 portions

Tapisser de papier ciré la base d'un moule à charnière de 20 cm (8 po).

Mettre le musli et les figues séchées dans un robot culinaire, et mélanger pendant 30 secondes. Presser le mélange dans la base du moule, et réfrigérer pendant la préparation de la garniture.

Saupoudrer la gélatine dans une casserole, et ajouter 4 cuillerées à soupe d'eau froide. Remuer jusqu'à dissolution de la gélatine, et amener à ébullition. Laisser bouillir 2 minutes, puis refroidir.

Mettre le lait, l'œuf, le sucre et le fromage dans un robot culinaire, et mélanger jusqu'à l'obtention d'un mélange crémeux. Incorporer les bleuets. Mettre le tout dans un bol à mélanger, et incorporer graduellement la gélatine dissoute. Verser le mélange sur la base, et réfrigérer pendant 2 heures, jusqu'à ce qu'il soit ferme.

Retirer le gâteau au fromage du moule, et disposer les fruits pour la garniture en cercles alternés. Arroser les fruits de miel, et servir.

INGRÉDIENTS

Pour la base
220 g (1 t / 8 oz) de musli nature

100 g (4 oz) de figues séchées

Pour le mélange au fromage
1 c. à thé de gélatine végétarienne

150 ml (⅔ t) de lait écrémé concentré

1 œuf

100 g (½ t / 4 oz) de sucre granulé fin

220 g (1 t / 8 oz) de fromage cottage maigre

300 g (12 oz) de bleuets

Pour la garniture
100 g (4 oz) de bleuets

2 nectarines, dénoyautées et tranchées

2 c. à soupe de miel clair

INGRÉDIENTS

Pour la mousse

325 g (1½ t / 10 oz) de yaourt nature maigre

100 g (4 oz) de fromage de lait
  écrémé ou de fromage à la crème

1 c. à thé d'essence de vanille

4 c. à soupe de sucre vanillé

1 c. à soupe de brandy ou de sherry

2 c. à thé de gélatine végétarienne

2 gros blancs d'œufs

Pour la sauce

350 g (14 oz) de framboises

jus de 1 orange

100 g (½ t / 4 oz) de sucre à glacer tamisé

MOUSSE À LA VANILLE

4 portions

Cette mousse légère est aussi succulente qu'elle en a l'air. On la sert en tranches, avec une délicieuse sauce aux framboises.

Mettre le yaourt, le fromage, l'essence de vanille, le sucre et l'alcool dans un robot culinaire, et mélanger 30 secondes, ou jusqu'à l'obtention d'une consistance crémeuse. Verser le mélange dans un bol à mélanger.

Saupoudrer la **gélatine** dans une casserole, et ajouter 4 cuillerées à soupe d'eau froide. Remuer jusqu'à dissolution de la **gélatine**, et amener à ébullition. Laisser bouillir 2 minutes.

Laisser refroidir, puis incorporer au mélange au yaourt. Fouetter les blancs d'œufs jusqu'à l'obtention de pics, et les incorporer à la mousse.

Tapisser un moule à pain de 1,7 l (6½ t) d'une pellicule plastique. Verser la mousse dans le moule préparé, et réfrigérer pendant 2 heures, jusqu'à ce qu'elle prenne. Entre-temps, mettre les ingrédients de la sauce dans un robot culinaire, et les mélanger jusqu'à l'obtention d'une consistance crémeuse. Presser le mélange dans une passoire pour en enlever les pépins. Démouler la mousse sur une assiette, retirer la pellicule plastique, verser un peu de sauce sur une assiette, trancher la mousse, et servir.

TERRINE AUX FRAISES

8 portions

Des fraises mûres dans une gelée parfumée à la liqueur font un spectaculaire centre de table dans toute réception ou buffet. Vous pouvez remplacer les fraises par d'autres petits fruits, ou adapter l'idée à une autre saison et utiliser des quartiers d'orange.

Mettre le sucre, le zeste d'orange et l'eau dans une casserole, et amener lentement à ébullition, en remuant de temps en temps. Faire bouillir 5 minutes, puis retirer du feu et laisser refroidir un peu. Saupoudrer les cristaux de gélatine sur le tout, et bien mélanger. Laisser refroidir, mais ne pas laisser prendre. Filtrer le sirop dans un pot à l'aide d'une passoire à mailles fines tapissée d'un morceau d'essuie-tout, et ajouter la liqueur ou le brandy.

Rincer un moule de 1,2 l (5 t) à l'eau froide, et disposer les quartiers de fraises de manière à former un motif. Verser délicatement le sirop sur les fruits, en prenant soin de ne pas les déplacer. Couvrir le moule avec du papier d'aluminium, et le mettre dans le réfrigérateur pendant plusieurs heures, ou toute la nuit.

Démouler la terrine ; passer un couteau chaud entre la gélatine et le moule, et placer un linge rincé à l'eau chaude sur la base pendant quelques secondes. Mettre une assiette de service sur le moule, renverser rapidement l'assiette et le moule ensemble, et agiter énergiquement pour dégager le dessert.

Décorer le dessert de fruits frais. Vous pouvez équeuter les fruits si vous le désirez, mais les fraises non équeutées présentent un élément de contraste naturel plus décoratif.

INGRÉDIENTS

325 g (1½ t / 10 oz) de sucre extra-fin
zeste finement râpé de 1 orange
500 ml (2 t) d'eau
4 c. à soupe (4 enveloppes) de gélatine
   en poudre
2 c. à soupe de kirsch ou de brandy
1,2 kg (2¼ lb) de fraises fraîches,
   équeutées et coupées en quartiers

Décoration

220 g (8 oz) de fraises coupées en deux

INGRÉDIENTS

220 g (8 oz) de raisins rouges sans pépins

4 jaunes d'œufs

3 c. à soupe de sucre extrafin

4 c. à soupe de Marsala, de Madère ou
   de sherry sucré

CRÈME ANGLAISE AUX RAISINS

4 portions

Ce délicieux dessert est très simple et très rapide à préparer. Il est idéal pour toute réception.

Laver les raisins et les mettre au fond de quatre coupes individuelles.

Mettre les jaunes d'œufs dans un bol. Battre légèrement, ajouter le sucre et le vin, et bien mélanger. Mettre le bol sur une casserole d'eau chaude et fouetter jusqu'à l'obtention d'un mélange épais et crémeux. Cela pourrait prendre environ 10 minutes.

Répartir le mélange entre les coupes, et servir encore chaud avec des biscuits à la cuiller.

PAVLOVA PRALINÉE AUX ABRICOTS

6 portions

Voilà un dessert spectaculaire qui fera le régal de vos invités et qui prouve que la pavlova, une meringue garnie, n'a pas besoin d'être remplie de crème fouettée.

Faire tremper les abricots dans le jus d'orange pendant au moins 2 heures, ou toute la nuit ; les mettre ensuite dans une casserole, amener à ébullition, et laisser mijoter 20 minutes, jusqu'à ce que les fruits soient tendres. Laisser refroidir, réduire les abricots et leur jus en purée dans un mélangeur ou un robot culinaire, et incorporer le yaourt.

Pour préparer la praline, mettre le miel et le sucre dans une petite casserole et amener à ébullition. Laisser bouillir 5 minutes, jusqu'à ce que le mélange soit très épais. Retirer du feu, et incorporer les amandes. Verser dans un moule huilé, et laisser refroidir.

Régler le four à 140 °C. Pour préparer la meringue, fouetter les blancs d'œufs jusqu'à ce qu'ils soient très fermes. Incorporer la moitié du sucre granulé, et fouetter à nouveau jusqu'à ce que le mélange soit ferme et brillant. Incorporer le reste du sucre.

Tapisser une plaque à pâtisserie de papier ciré, et y disposer la meringue à la cuillère de manière à former un nid. Cuire au four pendant 1 heure, puis retirer le papier et déposer la meringue dans un plat de service.

Broyer grossièrement la praline avec un rouleau à pâtisserie ou au mélangeur. Juste avant de servir, verser le mélange aux abricots au centre de la meringue, et saupoudrer de praline.

INGRÉDIENTS

220 g (8 oz) de morceaux d'abricots séchés

250 ml (1¼ t) de jus d'orange

175 ml (¾ t) de yaourt nature maigre

Praline

6 c. à soupe de miel ferme

2 c. à soupe de sucre extrafin

220 g (1 t / 8 oz) d'amandes émondées hachées

huile pour badigeonner

Meringue

3 blancs d'œufs

220 g (1 t / 8 oz) de sucre cristallisé

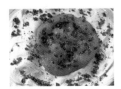

INDEX

Imprimé à Singapour